c o l l e c t i o n

▼

Romans Jeunesse

D0766173

Les Éditions HRW ltée
955, rue Bergar
Laval (Québec) H7L 4Z7
Téléphone : (514) 334-8466   Télécopieur : (514) 334-8387

L'HEURE PLAISIR

Déjà parus dans cette collection :

- ▼ Destination : nuit blanche
- ▼ La Porte secrète
- ▼ La Vengeance
- ▼ En exil… chez mon père
- ▼ Josée l'imprévisible

Fichez-moi la paix!

▼

Briac

À Patrice, mon frère

Fichez-moi la paix!
Briac
Collection L'Heure Plaisir

Directeur de la collection : Louis Martin
Illustrations de la couverture : Bruno St-Aubin

Tous droits réservés
© **1992 Les Éditions HRW ltée**
ISBN : 0-03-927304-0
Dépôt légal – 1er trimestre 1992
Bibliothèque nationale du Canada

IMPRESSION **METROLITHO INC.**
Sherbrooke (Québec)

Bibliothèque nationale du Québec
1 2 3 4 MTL 95 94 93 92

Table des chapitres

▼

Liste des personnages de ce récit

▼

Au besoin, consulte cette liste pour retracer l'identité d'un personnage.

Personnages principaux :

Patrice Bolduc : un élève de deuxième secondaire, âgé de 13 ans.

Jean-Simon Leroux : un élève de deuxième secondaire, rival de Patrice.

Personnages secondaires :

Robert Bibeau : un professeur de mathématique.

Benoît Bolduc : le frère aîné de Patrice.

Jean-Pierre Bolduc : le père de Patrice.

Pauline Bolduc : la mère de Patrice.

Isabelle Bonin : une compagne de classe de Patrice.

M. Bouchard : un animateur en deuxième secondaire.

Renée Delage : une compagne de classe de Patrice.

M. Desrochers : un professeur de français.

Pierre Gagné : un compagnon de classe de Patrice.

Éric Hébert : un compagnon de classe de Patrice.

Maurice Landry : un animateur en deuxième secondaire.

Sylvain Piché : un compagnon de classe de Patrice.

Claude Thériault : un compagnon de classe de Patrice.

Chapitre 1
Un grand distrait

Comme cela arrive très souvent le jour de la rentrée des classes, le soleil brillait de tous ses feux. Patrice Bolduc, un jeune homme de 13 ans, commençait sa deuxième secondaire. Grand, un peu dégingandé, les membres longs, les yeux rêveurs, les cheveux blonds embroussaillés, il ne passait pas inaperçu. Lui qui avait la réputation de tout oublier se souviendrait longtemps de cette année scolaire.

L'été s'était envolé, comme tous les autres, mais au moins les activités n'avaient pas manqué. Patrice, fort de ses

nouvelles expériences estivales, était dé-
terminé à montrer à ses camarades de
classe qu'il avait changé. Trop souvent
on s'était moqué de lui à cause de ses
retards ou de ses nombreux oublis :
Patrice était un grand distrait.

Cette année serait la sienne. Finies
les moqueries! Finis les mauvais tours et
les plaisanteries dans son dos! Désormais, on le respecterait.

Ce matin-là, donc, il enfila ses vêtements en sifflotant et descendit à la cuisine. Ses parents, déjà attablés, se regardèrent étonnés : c'était la première fois
que leur fils prenait le temps de déjeuner.
D'habitude, il déboulait littéralement les
marches, attrapait un fruit au passage et
se précipitait à l'arrêt d'autobus.

— Bonjour!

— Bonjour! répondirent les parents.

Patrice se dirigea vers le comptoir et
se servit une généreuse portion de céréales. Il les dévora en parcourant des
yeux les renseignements inscrits à l'endos
de la boîte. Puis il se fit griller deux
tranches de pain et les recouvrit de miel
et de beurre d'arachide, une opération
très scientifique. Comme il l'expliquait à

qui voulait l'entendre, il fallait d'abord étendre le beurre d'arachide. Puis on devait le laisser pénétrer dans le pain avant d'ajouter le miel. De cette façon, les deux ingrédients ne se mélangeaient pas vraiment. Ils harmonisaient plutôt leur saveur respective.

Les parents de Patrice avaient observé la scène de tartinage sans broncher. Au bout d'un moment, la mère se risqua :

– Patrice?

– Oui, maman?

– À quelle heure dois-tu te rendre à l'école?

– Comme à tous les jours, c'est-à-dire pour 9 heures.

– Le jour de la rentrée, n'y a-t-il pas toutes sortes de formalités à remplir avant le début des cours?

– Bon sang! C'est vrai! J'allais complètement l'oublier. Merci maman!

Patrice se lança vers la sortie. Le père interrompit son élan en disant :

– Patrice, n'as-tu rien remarqué?

– Non... Ah oui! Tu as fait repeindre la cuisine!

– Voyons, tu sais bien que ce travail a été fait il y a six mois!

— Tiens, c'est vrai.

— Je veux dire, n'as-tu rien remarqué sur toi?

— Est-ce que j'ai encore grandi cet été?

— Tes souliers sont dépareillés! L'un est brun et l'autre, noir!

— Ah... Merci papa. J'ai dû prendre les premiers souliers propres à me tomber sous la main. Il faut dire que ma garde-robe est un peu en désordre...

— C'est que... tes bas aussi sont dépareillés!

— Euh... Oui... mais au moins, ils vont avec chacun de mes souliers...

— Tu ne peux pas partir pour l'école affublé ainsi!

— Ne t'inquiète pas pour moi, je blaguais. Je vais aller arranger tout ça.

— As-tu bien toutes tes choses?

— Tu t'en fais trop pour moi, papa. Elles sont prêtes, mes choses. Je n'ai plus qu'à les ranger dans mon sac.

— Je ne m'en fais pas trop, mon garçon. Je voulais seulement te faire comprendre que tu allais partir sans ton sac. Et sans vouloir te bousculer, je te signale en passant qu'il est déjà 8 h 30.

— Créfi de créfi! Il faut que je file!

Patrice monta les marches trois par trois. Il entra dans sa chambre en coup de vent, empoigna son sac et redescendit à toute vitesse. En passant le seuil de la porte, il cria : «À ce soir!» Trop préoccupé par un éventuel retard, il avait complètement oublié de changer de souliers...

Des conversations comme celle-là étaient monnaie courante chez les Bolduc. Combien de fois les parents de Patrice avaient-ils gentiment essayé de l'aider à vaincre sa distraction! Ils évitaient toute comparaison avec le frère aîné qui avait laissé sa marque à la même école. Les professeurs qu'ils auraient en commun se chargeraient bien de les comparer.

Patrice n'était pas un sujet d'inquiétude profonde, mais ses parents souhaitaient tout de même qu'il devienne plus attentif. Ses nouvelles passions, l'électronique et le bricolage, allaient — du moins l'espéraient-ils — lui être d'un grand secours...

En arrivant à l'école, Patrice s'efforça de prendre un air dégagé. Il se dirigea vers la table où l'on remettait à chaque élève son numéro de case et son cadenas. Quelle ne fut pas sa surprise lorsqu'un de ses camarades de classe lui dit :

— Alors Patrice, tu as décidé une fois de plus d'attirer l'attention?

— Je ne vois pas du tout ce que tu veux dire.

— Tu n'as rien remarqué?

— Non, je ne suis pas très observateur.

— Es-tu daltonien?

— Jamais entendu ce mot-là!

— Distingues-tu bien les couleurs?

— Oui, bien sûr.

— Alors, explique-moi donc pourquoi tes souliers n'ont pas la même couleur?

Si la conversation s'était arrêtée là, Patrice aurait été plus tranquille. Mais déjà on s'attroupait autour de lui, et l'on entendit : «Hé, Patrice! Tu te déguises pour l'Halloween? Ohé, le monde! Venez voir! C'est vraiment la première fois que Patrice n'a pas les deux pieds dans la même bottine! Si tu tiens de ton père, j'espère qu'il n'est pas vendeur de souliers...»

Patrice soupira. Il avait raté sa rentrée. Il se compta tout de même chanceux : personne n'avait remarqué la couleur de ses bas... D'ailleurs, tous les élèves avaient été invités à monter aux étages pour le début des classes. Il se rendit hâtivement à la case qu'on lui avait assignée. Il mit un temps fou à l'ouvrir et se précipita vers la salle de cours. Il n'avait pas mis les pieds dans le local que déjà son professeur de français s'avançait, le nez un peu retroussé :

– Tiens, laissez-moi deviner... Monsieur Bolduc, je présume? Patrice Bolduc, pour être très précis? Je ne suis pas surpris. On m'avait prévenu que vous arriviez toujours le dernier.

– C'est que j'ai eu des problèmes avec ma case.

Il pensait s'en être sorti quand le professeur répondit sur un ton où il ne percevait pas d'ironie :

– Mon pauvre garçon, vous êtes vraiment malchanceux...

– À qui le dites-vous! Je n'arrivais plus à l'ouvrir.

– Vous ne vous souveniez plus de la combinaison?

– Non, je m'en souvenais très bien.

– Alors?

– C'est que la case que j'essayais

d'ouvrir n'était pas la mienne.

Cette dernière phrase fit crouler de rire les élèves de la classe. Le professeur les fit taire et dit très sèchement :

— Ce n'est pas une raison pour arriver en retard!

— Mais monsieur, c'est seulement la première fois.

— Non, mon cher, c'est la dernière. Allez vous asseoir.

Sous l'œil moqueur de ses camarades, Patrice se dirigea, la tête basse, à son bureau. La journée avait pourtant si bien commencé. Quand les premiers rayons de soleil lui avaient frappé le visage, il s'était senti rempli d'une énergie indéfinissable. Il s'était promis alors que sa rentrée scolaire serait le prolongement de l'été merveilleux qu'il venait de passer. Pourquoi avait-il fallu que cette satanée paire de souliers vienne tout gâcher?

Perdu dans ses réflexions, Patrice appréhendait maintenant la suite de la journée. Quelle autre tuile allait lui tomber sur la tête? La confiance qui l'animait à son lever avait complètement disparu.

Pendant qu'il rêvassait, Patrice n'avait

pas entendu la question que son professeur lui posait :

— ... qu'un polypore?

— Hmm? Je m'excuse, monsieur, j'ai mal entendu votre question.

— Dites plutôt que vous n'étiez pas sur la même planète que nous. Je relis la phrase : «Les polypores se développent sur divers arbres.» Qu'est-ce qu'un polypore?

Patrice était vraiment pris au dépourvu. Il ne connaissait pas la signification de ce mot, pas plus que ses camarades d'ailleurs. S'il ne s'était pas fait remarquer par son retard, le professeur aurait sûrement interrogé quelqu'un d'autre. Il en était persuadé.

— Alors, monsieur Bolduc? J'aimerais bien avoir une réponse.

— C'est... euh... c'est un gentil petit cochon.

Des sourires malicieux apparurent sur le visage des autres élèves. Ils se doutaient bien que la réponse n'avait aucun sens.

— On fait de l'humour! reprit le professeur. Comment voulez-vous que des cochons se développent sur des arbres? Si vous aviez suivi attentivement, vous auriez compris qu'un polypore est un champignon qui pousse sur les arbres. Quand on cherche la signification d'un mot, il faut examiner soigneusement le contexte. Soyez plus attentif la prochaine fois.

– Oui, monsieur.

Les élèves avaient bien rigolé. De toutes les réactions, l'une avait été particulièrement éloquente. Patrice ne connaissait que trop bien cette voix. Espérant se tromper, il se retourna, inquiet. Au fond de la classe, les yeux pétillants de malice et le sourire presque diabolique, Jean-Simon Leroux exultait...

Chapitre 2

Un ennemi juré

Jean-Simon Leroux! Le gars le plus populaire du niveau... mais aussi le plus sournois. C'était la tuile que Patrice espérait éviter. Il avait passé l'année précédente à l'endurer.

Dès le début de leur cours secondaire, ces caractères opposés s'étaient, bien malgré Patrice, attirés. Jean-Simon, ayant remarqué le caractère lunatique de Patrice, en avait profité pour manifester son côté frondeur. Ce faisant, il s'attira rapidement le respect de la plupart des élèves de première secondaire, encore impressionnés par leur nouvel environnement.

Quel tour ne lui avait-il pas joué? Quelle sottise n'avait-il pas proférée à son sujet? Quelle rumeur n'avait-il pas lancée pour l'embarrasser? Jean-Simon s'acharnait littéralement sur Patrice. Lorsque ce dernier, excédé, s'impatientait, l'autre réussissait habituellement à éviter toute réprimande, laissant «sa victime préférée» se faire servir un avertissement. Puis, à la première occasion, il recommençait son manège.

Patrice ressassait ces mauvais souvenirs et cherchait un moyen d'améliorer sa situation. «Décidément, pensa-t-il, le hasard n'est jamais du côté des malchanceux. Il y a huit groupes en deuxième secondaire, et il a fallu que je me retrouve dans la même classe que lui!» La cloche marquant la fin de la période le ramena brusquement à la triste réalité. Il ramassa nonchalamment ses livres, prit tout son temps de façon à éviter «l'ennemi juré» et sortit du local en compagnie de son professeur. Jean-Simon avait disparu dans la cohue. La rencontre fatale était remise à plus tard...

– Alors Patrice, tu as passé un bel été? demanda le professeur en refermant la porte.

Cette question le réconforta. Était-ce la même personne, si distante cinquante minutes auparavant, qui la lui posait? Il s'empressa de répondre :

— Merveilleux, monsieur Desrochers. Des étés comme ceux-là, ça ne s'oublie pas! Ce n'est pas comme certaines rentrées scolaires...

— Tu parles sans doute de ton retard de tout à l'heure? Allez, oublie cela et regarde en avant. Le quotidien est fait de ce qu'on veut bien y mettre. Aie confiance en toi, Patrice. La confiance, c'est le secret de la réussite.

— Vous croyez?

— J'en suis sûr! Voyons, qu'as-tu fait de si mémorable cet été?

— Je me suis découvert une passion et un talent pour l'électronique et le bricolage.

— Tu veux dire que tu n'avais pas pris conscience de ces capacités avant l'été dernier?

— Non, justement! C'est arrivé par hasard. Mes parents m'ont inscrit un peu malgré moi à un camp de vacances urbain. J'y ai fait pendant deux semaines un tas d'activités, dont celles qui sont devenues depuis mes passe-temps favoris.

– Donc, tu as graduellement pris confiance en toi, à mesure que tu progressais. Ces talents étaient là, cachés, et n'attendaient que la chance d'émerger. Tu en as sans doute d'autres. Tu finiras bien par les découvrir.

– Ouais... vous savez...

– Crois-en mon expérience. Et en attendant, sers-toi de la confiance que tu as acquise pour atteindre d'autres objectifs. Tu verras, c'est infaillible. Maintenant, tu m'excuseras, mais je dois te quitter. Si tu veux, tu pourras venir reparler de tout ça quand tu en auras envie.

– Peut-être même que je pourrais vous montrer ce que j'ai fabriqué.

– Encore mieux, fit le professeur en s'en allant. Au revoir!

– Hé! monsieur Desrochers! lança Patrice.

– Oui?

– Merci beaucoup de vous être attardé.

– Tout le plaisir est pour moi, mon

gars. Allez, dépêche-toi si tu ne veux pas arriver en retard à nouveau.

Patrice se dirigea d'un pas alerte vers son autre local. Il y pénétra tout juste avant que la porte ne se referme. Il prit sa place et ignora complètement Jean-Simon. C'était le cours d'histoire. Un gros monsieur barbu faisait résonner les murs de la classe de sa voix basse et puissante. Cette matière, en général si aride, contiendrait sûrement beaucoup de jus avec un professeur comme celui-là.

La matinée s'acheva sans incident, au grand soulagement de Patrice. Le cours d'économie familiale, qui précédait le dîner, lui avait creusé l'appétit. L'enseignante y était allée d'une démonstration de cuisine, sans doute pour en mettre plein la vue aux élèves. Elle en avait profité pour exposer ses objectifs. Elle les avait aussi prévenus que la réussite de ce cours dépendrait essentiellement de leur application personnelle. Le tout s'était terminé sur une petite dégustation. Il n'en fallut pas plus pour que les élèves se précipitent à la cafétéria. Là aussi, on avait mis le paquet. Rentrée des classes oblige...

La cafétéria de l'école n'avait pas très bonne réputation. Si le premier repas de l'année faisait toujours l'unanimité, les cuisiniers revenaient vite à leurs vieilles habitudes. On y mangeait, trop souvent au goût des élèves, du pâté chinois, de la saucisse et du bouilli. Par contre, les jours de pizza, de hot-dogs et de poulet frit se comptaient sur les doigts d'une seule main.

Ce midi-là, les élèves purent choisir entre des hamburgers et de la pizza. Quant au dessert, il était constitué d'un délicieux gâteau au chocolat, accompagné d'une boule de lait glacé. Patrice, pas plus pressé que d'habitude, avait été le dernier servi. Il se trouva une place près de la fenêtre, question d'ensoleiller son repas.

Il avait oublié d'ajouter les condiments essentiels à tout hamburger qui se respecte. Il dut donc quitter sa place quelques instants. À son retour, son morceau de gâteau avait disparu. Il était distrait, mais pas au point d'oublier de prendre au comptoir son dessert favori. Quelqu'un le lui avait donc dérobé. Il jeta un regard circulaire et aperçut Jean-

Simon Leroux, l'inévitable Jean-Simon Leroux, qui dévorait impunément son gâteau. Et, pour ajouter l'insulte à l'injure, il levait sa cuillère vers Patrice, comme s'il lui portait un toast, avant d'avaler goulûment sa bouchée.

Patrice contenait à peine sa rage, mais choisit de ne pas réagir. Il ne voulait surtout pas montrer à Jean-Simon, ni d'ailleurs à ses amis, le moindre signe de contrariété. Cela leur aurait fait trop plaisir. Il se contenta de hausser les épaules, s'assit et essaya de profiter de ce qui lui restait de repas.

Il avalait sa dernière gorgée de lait lorsqu'une main vint lui frapper brutalement le dos :

— Ce cher Bolduc! Quelle joie de te revoir! Alors, on ne salue plus ses amis maintenant?

Patrice essuya le lait qui lui avait éclaboussé le visage. Il prit son plateau, se leva et répliqua :

— Laisse-moi tranquille, Leroux. Je ne t'ai pas sonné.

— Hé! les gars! Bolduc est de mauvaise humeur. Qu'y a-t-il mon petit Bolduc? Il ne restait plus de dessert pour

 17

toi?

— Si tu ne m'avais pas volé le mien, il m'en serait resté.

— C'est une affirmation grave ça, Bolduc. À ta place, je ferais attention. Je n'aime pas qu'on m'accuse injustement. Tu n'as aucune preuve de ce que tu dis. D'ailleurs, demande à mes amis. Ils te confirmeront que je n'ai pas quitté ma place du repas.

— Tes amis sont vendus à ta cause. Ça ne vaut rien. Maintenant, laisse-moi passer.

— Pas avant que tu ne te sois excusé, répliqua Jean-Simon.

— Tu es vraiment un crétin, Leroux, fit Patrice en tentant de s'éloigner.

À peine avait-il fait quelques pas qu'il s'étendait de tout son long sur le plancher de la cafétéria. Jean-Simon Leroux lui avait fait perdre pied en disant :

— Personne ne traite Jean-Simon Leroux de crétin sans en subir les conséquences, Bolduc. On se reverra!

Les cris et les rires fusèrent de toute part. Un incident de ce genre provoquait toujours une réaction. Parfois, on entendait même des applaudissements.

Jean-Simon et ses complices étaient déjà loin. Entre temps, le surveillant s'était approché avec un balai :

– Sacré Bolduc, va! Tu n'as pas changé. Tiens! Ramasse-moi tout ça et dépêche-toi de remonter dans ta salle de récréation. Quand tu y seras, tu pourras en profiter pour te trouver une «vraie» paire de souliers.

Patrice n'eut pas le temps de s'expliquer. Le surveillant avait déjà tourné les talons, riant aux éclats. Il nettoya consciencieusement le plancher des débris d'assiette en ravalant sa rancœur. «Encore une fois, Leroux s'en est sorti sans reproche. Il faudra bien qu'un jour je lui tienne tête ou que je me venge!» pensa-t-il.

Il prit le chemin de la salle de récréation, non sans se méfier de chaque porte. Leroux était capable de l'attendre dans un coin et de s'en prendre encore à lui. Pourtant, il ne le rencontra nulle part. La cloche retentit alors pour annoncer le début des cours de l'après-midi. Pour une fois, Patrice arriverait à l'avance.

Il entra dans le local où auraient lieu

les cours de morale et de mathématique. Il aperçut alors son rival, déjà assis, prêt à travailler. Jean-Simon ne leva même pas la tête. Cette attitude intrigua Patrice, au point qu'il se demanda ce qu'il mijotait. Il imagina toutes sortes de choses. Il pensa même qu'il s'était peut-être fait prendre à la sortie de la cafétéria. Cette idée le remplit d'aise et il put se concentrer sur ses cours.

Le professeur de morale était sympathique. La matière qu'il entendait enseigner au cours de l'année semblait intéressante. En fait, tous les cours auxquels il avait assisté avaient présenté plus que leur part de points positifs. Cependant, les élèves perdirent vite leurs illusions quand le professeur de mathématique fit son entrée. Sans dire un mot, il se tourna vers le tableau. Il commença à y inscrire une série de calculs incompréhensibles. Quand les quatre sections du tableau noir furent couvertes, il se présenta :

– Bonjour, mon nom est Robert Bibeau et je vous annonce officiellement que vos vacances sont terminées. Veuillez, s'il vous plaît, prendre ceci en note.

Et de notions en notions, il les bombarda d'explications et de questions toutes plus difficiles les unes que les autres. Quand la cloche sonna la fin des cours, les élèves soupirèrent, soulagés.

Patrice ramassa son matériel scolaire. Au moment où il s'apprêtait à le ranger dans son sac, il trouva une enveloppe. Elle avait sans doute circulé pendant la période. Puis on l'avait déposée, à son insu, sur le dessus de son sac. Il l'ouvrit et lut : «Je t'attends à la rocaille après les cours. Sans faute.» Le billet n'était pas signé, mais Patrice savait fort bien qui en était l'auteur. Il se retourna. Jean-Simon avait déjà quitté le local...

Chapitre 3

Un guet-apens signé Jean-Simon Leroux

Le cœur de Patrice se mit à battre violemment. Jean-Simon ne serait pas seul, il en était sûr. Jean-Simon Leroux n'était jamais seul. Deux ou trois copains, plus costauds que lui, l'accompagnaient toujours. On les voyait fréquemment provoquer les plus faibles dans les corridors ou la salle de récréation. Quand ceux-ci osaient répliquer, Jean-Simon laissait ses «gorilles» intervenir. De cette façon, il n'avait jamais d'ennuis avec les autorités.

Le choix du lieu de rendez-vous n'avait rien non plus de très rassurant pour Patrice. La «rocaille» était située à l'extrémité du terrain de l'école, loin de toute circulation estudiantine. Elle avait été aménagée quelques années auparavant. On y trouvait plusieurs dizaines d'espèces d'arbres. Il y avait des plantes de toutes sortes et un étang dans lequel nageaient des poissons rouges. Or, cet «espace vert» était réservé aux cours d'écologie. En d'autres circonstances, personne ne pouvait y accéder sans une permission spéciale.

Patrice hésita un moment. S'il se rendait à la rocaille, il risquait gros. D'abord, il craignait qu'on ne s'en prenne à lui de façon déloyale. Ensuite, il n'aimait pas contrevenir aux règlements de l'école. Il était trop souvent, bien malgré lui, la cible des surveillants. Il se dit, finalement, qu'il ne valait pas la peine de répondre à ce genre de provocation.

Il rangea ses choses et quitta la classe. La journée, plus éprouvante que prévue, était enfin terminée. Patrice n'avait pas envie de s'attarder à l'école. Il prit donc le chemin de la sortie, celle qui donnait

sur la cour de récréation. Au bas de l'escalier l'attendait un des «gorilles» de
Jean-Simon.

– Hé! Bolduc, j'espère que tu n'as pas
oublié ton rendez-vous!

– Je n'ai rien oublié du tout. Je n'y
vais pas, expliqua Patrice.

– C'est que tu n'as pas vraiment le
choix.

– J'ai autre chose à faire.

– Écoute, Bolduc. Toutes les sorties
du terrain de l'école sont surveillées par
des copains. Aucun d'entre eux ne te
laissera passer. Tu ferais mieux d'aller
voir Jean-Simon. D'ailleurs, il ne veut
que te parler. C'est ce qu'il m'a demandé
de te dire.

– J'ai bien du mal à te croire.

– C'est pourtant la vérité, fit l'autre
en entraînant Patrice vers la rocaille.

Ils traversèrent leur cour de récréation, celle des élèves de troisième, qua-
trième et cinquième secondaires, puis le
terrain d'éducation physique. La rocaille
était tout au bout, au pied de l'aile abri-
tant les bureaux des animateurs de niveau.

Jean-Simon était là, seul, attendant

patiemment leur arrivée. À la vue de Patrice, il se leva, tendit la main et dit d'une voix très amicale :

— Salut! Patrice, merci d'être venu. Je voulais te parler.

Cette attitude déconcerta Patrice qui perdit alors toute méfiance.

— Écoute, Patrice, je voulais m'excuser pour ce midi, je ne sais pas ce qui m'a pris. J'espère que tu ne m'en veux pas.

— Disons que j'étais... euh... très fâché, mais puisque tu me présentes tes excuses, je les accepte. Je ne t'en veux plus.

— Ça me soulage. Je trouverais dommage que notre année scolaire commence sur un mauvais pied, fit Jean-Simon.

— Ça va. Tout est oublié.

La conversation prenait vraiment une tournure inespérée. Patrice s'en voulait presque d'avoir prêté de mauvaises intentions à Jean-Simon.

— Moi aussi, j'aimerais m'excuser, dit Patrice. Je pensais que tu m'avais tendu un piège. Je m'aperçois que je t'ai mal jugé.

— Il faut dire que je ne t'ai jamais rendu la vie facile. Allons, ne parlons plus de tout ça. As-tu passé un bel été?

– Fantastique! s'enthousiasma Patrice. Le plus beau de ma vie!

– Es-tu allé quelque part?

– J'ai passé deux semaines dans un camp de vacances urbain. C'était génial!

– Un camp de vacances urbain? interrogea Jean-Simon. Qu'est-ce que c'est?

– Eh bien, c'est comme un camp de vacances, mais en ville. En général, ça se passe sur le campus d'une maison d'enseignement. On peut faire à la fois des sports, des activités culturelles et même des activités académiques. Bien entendu, c'est beaucoup plus détendu que l'école.

– Il devait faire chaud en ville! As-tu pu au moins te baigner?

– Non, mais ça ne me dérange pas. Tout était tellement intéressant que je n'ai pas eu le temps d'avoir chaud.

– Tu as tort, Bolduc! Il faut toujours prendre le temps de se rafraîchir! fit Jean-Simon qui avait subitement changé de ton.

Pendant la conversation, Patrice n'avait pas réalisé que les «gorilles» s'étaient rapprochés. À peine Jean-Simon avait-il terminé sa dernière phrase que Patrice était soulevé par quatre individus qui le lancèrent sans hésiter dans l'étang. Tout s'était passé à la vitesse de l'éclair. Patrice n'avait pas eu le temps de réagir.

— Pauvre Bolduc! Toujours aussi naïf! Tu croyais vraiment que j'étais sincère? Franchement! Quelle gourde tu fais! Je t'avais bien dit qu'on ne traitait pas Jean-Simon Leroux de «crétin» sans en subir les conséquences. J'espère que tu retiendras la leçon. Venez les gars, on s'en va!

Ils quittèrent rapidement les lieux en riant aux larmes. Patrice, lui, pleurait de rage. Il s'en voulait de s'être laissé berner ainsi. «J'aurais dû me méfier davantage, pensa-t-il. Je jure que l'on ne m'y prendra plus!»

Il venait tout juste de sortir de l'eau lorsqu'il entendit une voix :

— Jeune homme! Je veux vous voir immédiatement à mon bureau!

C'était monsieur Bouchard, surnommé «monsieur B.» par les élèves, parce qu'il avait la manie de signer ainsi. C'était un des traits de sa forte personnalité. Sa signature inimitable était en quelque sorte sa marque de commerce. Animateur de deuxième secondaire depuis longtemps, il était à la fois craint et aimé.

Patrice soupira. Les ennuis le pour-suivaient. À cause de sa réputation de distrait et de lunatique, il était souvent rabroué par les surveillants. Comment monsieur Bouchard l'accueillerait-il s'il n'avait pas assisté à toute la scène? Comment arriverait-il à minimiser l'impor-tance de cet événement pour éviter un autre guet-apens signé Jean-Simon Leroux?

Il fallait jouer serré. Inventer une raison qui justifierait sa présence à la rocaille et, surtout, ne pas mentionner le nom de son ennemi. De toute évidence, Leroux était capable de tout.

Patrice arriva devant le bureau de monsieur Bouchard. Il prit une grande inspiration et cogna à la porte.

— Entrez! fit l'homme en raccrochant le téléphone.

— Monsieur Bouchard, je peux tout vous expliquer, attaqua Patrice en s'avançant vers le bureau.

— Je l'espère bien mon garçon. Faites seulement attention de ne pas tout mouiller.

— Voilà. Cet été, pendant mes vacances, j'ai participé à des activités de nature écologique. J'ai voulu, en me rendant à la rocaille, mettre en pratique ce que j'avais appris. Malheureusement, j'ai perdu pied et je me suis retrouvé dans le bassin. Je suis le seul et unique responsable de mon malheur.

— Aviez-vous l'autorisation de vous rendre à cet endroit?

— Non monsieur, et soyez assuré que j'ai ma leçon. Dorénavant, je ferai toutes les démarches nécessaires pour l'avoir et je serai plus prudent.

— Quel est votre nom? fit l'animateur en se calant dans son fauteuil.

— Patrice Bolduc, monsieur.

La conversation se déroulait mieux que Patrice ne l'avait prévu. Encore quelques minutes et il pourrait quitter le bureau. Avec un peu de chance, il éviterait même une sanction. L'homme se redressa, regarda Patrice droit dans les yeux et demanda :

— Connaissez-vous un dénommé Jean-Simon Leroux?

— Euh... oui, fit Patrice un peu surpris par la question.

— Est-ce un de vos amis?

– Pas vraiment.

– C'est-à-dire?

– Pas du tout. Pour dire vrai, il me casse les pieds.

– Alors, pourquoi le couvrez-vous?

– Je... euh... je ne comprends pas ce que vous voulez dire.

– Écoute Patrice, fit monsieur Bouchard en se faisant plus chaleureux. J'ai tout vu. Malheureusement, j'ai été aussi surpris que toi. Je n'ai pas pu intervenir avant qu'on te balance à l'eau. Toutefois, il n'est pas trop tard pour coincer ces individus. Alors tu vas me raconter tranquillement ce qui s'est vraiment passé.

Il n'en fallait pas plus pour que Patrice se vide le cœur. Il raconta tout, de la journée qu'il venait de vivre jusqu'aux méchancetés que lui avait fait subir Jean-Simon en première secondaire. L'animateur écoutait sans broncher et prenait des notes à l'occasion. Il posait des questions quand un détail lui semblait obscur.

Cette rencontre dura plus d'une heure. Patrice sentait que monsieur Bouchard l'écoutait avec attention. Il comprenait maintenant pourquoi on le respectait tant à l'école. Cet homme prenait vraiment à cœur le bien des élèves. Il ne put cependant s'empêcher d'exprimer une crainte :

— Monsieur Bouchard, j'ai peur que mes problèmes ne s'accentuent si vous intervenez.

— C'est un risque à prendre, mais sois assuré que tu as tout mon appui et que je vais garder ce Leroux et ses acolytes à l'œil. S'il arrive quoi que ce soit, n'hésite pas à me prévenir. Pour l'instant, avant de rentrer chez toi, si tu voulais m'aider à éponger toute cette eau sur le plancher...

— Avec plaisir, monsieur Bouchard!

— Dis donc! As-tu vraiment fait des expériences de nature écologique cet été?

— Ça et bien d'autres choses, répondit fièrement Patrice. Je suis même devenu très habile en électronique et en bricolage.

— Tu es sérieux?

— Oui, et j'ai déjà plusieurs réalisations à mon actif.

— C'est intéressant tout ça, c'est même très intéressant. Patrice, j'ai une proposition à te faire...

Chapitre 4

Un projet secret

— Penses-tu pouvoir faire ce que je te demande, Patrice?

— Certainement monsieur Bouchard, sans problème!

— Même si tout cela semble un peu obscur pour l'instant, j'aimerais que ça reste entre toi et moi. Seuls les responsables de l'animation étudiante sont au courant puisqu'ils sont les instigateurs de ce projet. Nous nous réunirons demain pour planifier tout ça.

— Comptez sur ma discrétion. Je n'en parlerai même pas à mes parents.

— Tu n'es pas obligé de les tenir à

l'écart. Il serait même préférable que tu les informes. Enfin! Je te laisse le choix de leur en parler ou non. Maintenant, dépêche-toi de rentrer, il est déjà cinq heures.

— Créfi de créfi! Le temps passe tellement vite! Merci monsieur Bouchard et à demain!

Même s'il était en retard, cela n'empêcha pas Patrice de rentrer en flânant ici et là. Ses vêtements, froissés par sa baignade forcée, ne l'aidèrent pas à passer inaperçu. On lui jetait des regards moqueurs au passage, mais il ne les remarquait pas. Il était trop préoccupé par l'offre de monsieur Bouchard. Elle constituait en quelque sorte sa bouée de sauvetage, sa source de motivation pour l'année scolaire qui commençait. Il sentit que, pour la première fois dans sa vie, le hasard le servait...

Quand il passa le seuil de la porte, il était encore absorbé. En fait, il avait parcouru le chemin de l'école à la maison de façon très machinale. Il ne sortit de sa rêverie que lorsque sa mère s'exclama, de la cuisine :

— Comment se fait-il que tu rentres si

tard?

— Euh... j'ai dû rester un peu plus tard à l'école, répondit Patrice en essayant de se faufiler jusqu'à sa chambre.

Il voulait à tout prix éviter l'interrogatoire en règle que lui servirait sa mère quand elle s'apercevrait que ses vêtements ne payaient pas de mine. Mais il ne put y échapper.

— Mon Dieu! Que t'est-il arrivé?

— Rien du tout, maman.

— Et tes vêtements? Ils sont tout trempés...

— Mes vêtements? Je... suis tout simplement tombé dans l'étang de la rocaille.

— Comment as-tu fait ton compte?

— Je... j'ai... je voulais ramasser des feuilles pour un travail d'écologie.

— Tu es tombé dans l'étang en ramassant des feuilles?

— Euh...

La sonnerie du téléphone retentit au même moment. Patrice soupira d'aise. Il était déjà à court de réponses. S'il devait avouer à sa mère qu'il avait été embêté par Jean-Simon Leroux, elle filerait tout droit chez le directeur de l'école pour exiger qu'on protège son cher garçon. Il ne voulait surtout pas avoir l'air du «pe-tit-gars-à-sa-maman». N'importe quoi, mais surtout pas cela. Il était trop vieux maintenant. Il fallait jouer serré.

Quand sa mère revint vers lui, son histoire était toute prête. Elle le regarda droit dans les yeux et lui dit d'un ton très calme :

— C'était monsieur Bouchard au télé-phone.

— Monsieur Bouchard? fit Patrice décontenancé.

— Oui. Il m'appelait pour expliquer la raison de ton retard.

— Et... que t'a-t-il dit?

— Que tu t'étais retrouvé dans l'étang et qu'il t'avait convoqué à son bureau.

— Oui... euh... j'ai dû justifier ma présence à la rocaille.

— Patrice, pourquoi ne m'as-tu pas dit qu'on t'avait lancé à l'eau?

— ...

— Monsieur Bouchard m'a parlé d'un jeune garçon nommé Jean-Simon Leroux. S'agit-il de celui qui t'a causé tellement d'ennuis l'an dernier?

— Oui, c'est lui. Mais je ne voulais pas t'inquiéter avec ça, maman.

– M'inquiéter? Ce n'est pas seulement une question d'inquiétude, Patrice. Je m'intéresse à ce qui t'arrive. Même si tu vieillis, ce n'est pas une raison pour qu'on arrête de se parler.

– J'avais peur que tu appelles à l'école pour prévenir les autorités.

– Visiblement, je n'aurai pas besoin de le faire.

– Est-ce que... monsieur Bouchard t'a parlé d'autre chose? interrogea-t-il, inquiet de voir leur secret mis à jour.

– Non. Il m'a seulement assuré qu'il ferait le nécessaire pour que ce genre d'incident ne se reproduise plus.

Patrice voulait à tout prix changer de sujet. Cette discussion risquait de l'obliger à trop parler. Il demanda :

– Et toi maman, as-tu passé une bonne journée?

Ils discutèrent alors des problèmes que lui avaient causés certains clients insatisfaits de la marchandise qu'on leur avait vendue. La mère de Patrice était propriétaire d'une boutique de prêt-à-porter. Elle avait passé une bonne partie de la journée à réparer les erreurs de la jeune vendeuse qu'elle avait engagée pour la période estivale. Des erreurs banales en soi, mais qui lui avaient demandé beaucoup d'énergie. C'est pourquoi elle avait fermé sa boutique plus tôt qu'à l'habitude.

Le souper, que Patrice prépara avec sa mère, se déroula sous le signe de la bonne humeur. Il ne manquait que Benoît, l'aîné, qui avait téléphoné pour prévenir de son absence. Ses études collégiales lui prenaient tout son temps. Patrice évita autant que possible de parler à son père de sa journée à l'école. Sa mère, de connivence, n'aborda pas le sujet non plus.

Quand le repas fut terminé, Patrice s'enferma dans sa chambre. Il avait prétexté un très long devoir de mathématique pour être dispensé de faire la vaisselle. Ses parents lui avaient donné congé, pour cette fois. Lorsqu'ils se retrouvèrent seuls, le père dit :

— Pauline, tu ne trouves pas que Patrice a changé?

— Que veux-tu dire?

— Il me semble plus épanoui qu'avant.

— Chaque enfant a son rythme, Jean-Pierre. Avec Patrice, je crois qu'il faut être patient. Je suis certaine qu'un jour ou l'autre, il nous surprendra.

— J'en suis sûr, moi aussi. Je remarque cependant qu'il n'a pas beaucoup parlé de sa rentrée scolaire. T'en a-t-il donné des nouvelles?

— Pas vraiment. Il est peut-être plus épanoui, mais toujours aussi cachottier, fit la mère, complice de son garçon. Son fils ne pourrait lui reprocher d'avoir trop parlé.

Les parents vaquèrent chacun à leurs occupations personnelles pendant que Patrice travaillait dans sa chambre. Il ne la quitta que trois heures plus tard, pour faire sa toilette. Il était déjà près de 11 heures. Il retourna dans sa chambre et éteignit sa lampe... deux heures plus tard.

Patrice ne dormit pas beaucoup cette nuit-là. Néanmoins, lorsqu'il sortit du lit, à 7 heures, il se sentait en pleine forme. Il prit une douche froide pour activer davantage sa circulation sanguine et descendit déjeuner. Tout le monde était encore couché. Il mangea assez frugalement. Puis il laissa une note à ses parents sur laquelle il les prévenait de son retard pour le souper. Il partit pour l'école avec une heure d'avance...

Il fut le premier à entrer en classe, au grand étonnement de tous. On lui demanda même, pour blaguer, s'il n'avait pas passé la nuit à l'école. Il se contenta de sourire et sortit son cahier. Il remarqua, au moment où le cours commençait, que Jean-Simon n'était pas encore arrivé. Il était sans doute retardé par une rencontre avec l'animateur de deuxième secondaire.

On apprit au début de l'autre période qu'il était suspendu pour la journée. La raison en restait inconnue. Patrice était très impressionné par l'efficacité de monsieur Bouchard.

Le cours de mathématique fut aussi exigeant que celui de la veille. Monsieur Bibeau circulait dans les rangées pour vérifier les devoirs. On l'avait déjà surnommé «Bobbeau», à cause des crampes aux doigts dont les élèves avaient souffert en transcrivant les notes de la veille. Il s'arrêta devant le bureau de Patrice.

— Ce devoir est incomplet, jeune homme!

— C'est que... je n'ai pas eu le temps de le terminer, monsieur.

— Aucune raison ne justifie que l'on ne termine pas son devoir, vous m'entendez? Aucune. Cette remarque s'applique à tous les élèves. Vous me le referez en double pour demain.

— Bien monsieur, promit Patrice, intimidé.

La matinée prit fin et Patrice consacra l'heure du dîner à reprendre son travail de mathématique. La raison qu'il avait donnée à son professeur n'avait rien d'original. C'était la seule qui lui était venue à l'esprit. L'homme n'entendait pas à rire. Il valait donc mieux qu'il ne connaisse pas la vraie raison pour laquelle Patrice n'avait pas terminé son devoir.

En cette deuxième journée de classe, la vie avait déjà repris son rythme habituel. Les vacances semblaient bien loin; le temps maussade y était sans doute pour quelque chose.

Quand la cloche retentit à 15 h 30, Patrice fit mine de s'attarder, pour ne pas attirer l'attention. Puis il se dirigea vers le bureau de monsieur Bouchard. Il se sentit soudainement important. Dans quelques minutes, il participerait à une réunion avec tous les animateurs de la vie étudiante. Il serait le seul élève présent. On avait besoin de lui! Patrice flottait littéralement.

Il s'efforçait de prendre un air dégagé quand il arriva au bureau de son animateur de niveau.

– Bonjour! Patrice. Nous n'attendions plus que toi pour commencer la réunion. Assieds-toi, je t'en prie. Tu connais sûrement tout le monde ici?

– Oui, monsieur Bouchard.

– Bien! Alors je laisse la parole au responsable du projet. À toi, mon cher Maurice!

Maurice Landry expliqua que l'école organisait un séjour plein-air de deux jours dans les Laurentides, plus précisément à Sainte-Agathe-des-Monts. Le départ aurait lieu le mercredi après le dernier cours; on reviendrait le vendredi, à l'heure du souper. Chacune des huit classes de deuxième secondaire en bénéficierait à tour de rôle. Une foule d'activités étaient prévues : sports d'équipes, jeux, randonnée pédestre, escalade, le tout selon un horaire ne laissant aucune place à l'improvisation.

Patrice avait écouté religieusement

l'exposé. Certes, monsieur Bouchard lui avait expliqué sommairement ce qu'on attendait de lui, mais il avait hâte d'en savoir plus. Maurice Landry dit alors :

— Parmi toutes les activités, il en est une qui fera appel au courage des élèves. Il s'agira tout simplement, pour ceux qui se porteront volontaires, d'aller signer une feuille dans une cabane située sur le terrain du chalet où nous logerons. Je précise tout de suite que ce jeu sera fait sous la surveillance vigilante des animateurs présents. Vous comprendrez que nous voulons éviter les accidents.

Puis se tournant vers Patrice, il ajouta :

— C'est ici que tu interviens. J'aimerais que tu fabriques un mannequin qui pourrait parler et qu'on cacherait dans cette cabane. Crois-tu en être capable?

— Pensez-vous! J'ai travaillé sur des plans jusqu'à 1 heure du matin. Je les ai même apportés. Voyez plutôt!

— Excellent! Penses-tu pouvoir compléter le travail avant la fin du mois de septembre?

— Fiez-vous à moi, monsieur Landry.

— Parfait! Le premier groupe, en

l'occurrence le tien, partira le 2 octobre.

— Dis donc, Maurice, interrompit monsieur Bouchard, est-ce que ce séjour est obligatoire?

— Non, bien sûr. Je prévois une participation de quinze à vingt élèves par groupe.

— Pourquoi ne pas l'avoir offert aux jeunes de première secondaire? continua le responsable du deuxième niveau.

— Parce que nous voulons l'expérimenter d'abord avec des élèves que nous connaissons déjà. Si tout se déroule comme je l'espère, nous les inviterons dès l'an prochain.

— S'il n'y a plus de questions, messieurs, je crois que nous pouvons ajourner la réunion, conclut monsieur Bouchard.

Patrice salua tous les animateurs et accompagna monsieur Landry. Ils devaient aller acheter le matériel nécessaire à la fabrication du mannequin. Ce soir-là, le jeune bricoleur rentra, non sans avoir camouflé ses achats dans les buissons, sous la fenêtre de sa chambre...

Chapitre 5

Une créature effrayante

À 11 heures, toutes les lumières étaient éteintes chez les Bolduc. Soudain, sur le côté de la maison, une ombre se faufila. Quelques instants plus tard, une échelle se dressa jusqu'à l'une des fenêtres. Patrice y grimpa silencieusement, chargé d'un encombrant paquet. Il descendit et remonta avec un autre paquet. Puis, à l'aide d'une corde, il fit glisser délicatement l'échelle le long de la maison.

L'adolescent ouvrit doucement la porte de sa chambre et tendit l'oreille : le silence régnait. Il en conclut fièrement que sa performance avait été digne d'un cambrioleur professionnel. La chambre de ses parents se trouvant sous la sienne, il ne fallait surtout pas les réveiller. Une fois la fenêtre refermée, il se permit d'allumer sa lampe de travail. La lumière envahit toute la pièce.

Le fouillis le plus total y régnait. Le lit était couvert de vêtements et ne semblait pas avoir été fait depuis très longtemps. Des cahiers, des feuilles et des livres jonchaient le sol. Çà et là, quelques appareils électroniques à moitié défaits témoignaient du passe-temps favori de Patrice. Ses parents avaient depuis longtemps cessé d'exiger qu'il range sa chambre. C'était inutile. Ils en étaient venus à croire que leur garçon avait besoin de désordre pour se retrouver. Seul le bureau avait été dégagé pour faire place au projet qui occupait toutes les pensées du jeune inventeur.

Patrice se pencha sur son plan, amélioré depuis la réunion de l'après-midi. Il avait même ajouté des éléments qui ne pourraient qu'enchanter les responsables de l'animation. Quand il était rentré de ses courses avec monsieur Landry, il s'était fait un sandwich. Puis il était monté dans sa chambre et s'était immédiatement mis au travail. Une fois toute la famille endormie, il avait récupéré son matériel.

Il s'assura que rien ne manquait. Il prit les deux paquets et se dirigea sur la pointe des pieds vers le grenier. Plus que toute autre pièce de la maison, le grenier était un véritable refuge pour Patrice. Il aimait s'y retrouver pour réfléchir ou simplement pour être seul. C'est là aussi qu'il avait fait ses premières expériences en électronique.

Il entreprit d'abord de confectionner le mannequin en remplissant de paille les vêtements qu'il avait choisis. Il le solidifia en glissant un morceau de bois à l'intérieur de chaque membre. Il remit ensuite de la paille à certains endroits pour qu'il ait l'air aussi réel que possible. Puis, il lia les extrémités des vêtements pour empêcher la paille de sortir et mit une ceinture au pantalon. Enfin, il vissa deux autres morceaux de bois à la structure et chaussa son chef-d'œuvre d'une vieille paire de bottes.

La tête, en styromousse, lui causa quelques problèmes. Il n'arrivait pas à la fixer. Il dut insérer un autre morceau de bois dans le corps et utiliser de la broche très mince pour l'immobiliser. Il lui fallait aussi prévoir l'ajout d'un haut-parleur et d'un micro. Il installa donc son haut-parleur et en fit la bouche du mannequin. Le fil passerait sous la chemise et sortirait par la manche. L'emplacement du micro était sans importance. Il choisit de le piquer dans la poche de la chemise de chasseur dont il revêtirait son bon-homme. Il mit aussi, à l'endroit des yeux, deux petites lumières rouges qui s'allu-meraient chaque fois que le mannequin parlerait. Finalement, pour rendre sa créature plus effrayante, il lui recouvrit la tête d'une espèce de masque de gorille chevelu. L'effet était saisissant. Il était alors 3 heures du matin. «Je vérifierai les connexions demain», se dit-il en rega-gnant sa chambre.

Le lendemain matin, il n'entendit pas sonner sa montre. Ce fut son frère Benoît qui le réveilla :

– Patrice! Tu vas être en retard!

– Quelle heure est-il? marmonna l'autre.

– 7 h 45. Allons! lève-toi!

– Ouais, ouais. Ça va! Ne parle pas si fort! Encore cinq minutes et je suis debout.

Quand il ouvrit les yeux à nouveau, il était déjà 8 h 30. Il bondit hors du lit, enfila la première chemise et le premier pantalon qu'il trouva. Ramassant son sac au vol, il courut à toutes jambes jusqu'à l'autobus, qu'il rattrapa de justesse. Ce fut tout juste suffisant pour arriver à temps à son cours d'histoire.

Son entrée fut remarquée. Lançant un clin d'œil aux autres élèves, son professeur d'histoire s'écria :

– Enfin, vous voilà! Nous vous attendions.

– Vous... m'attendiez? s'étonna Patrice en s'assoyant.

– Ce cirque qu'est l'école ne saurait exister sans son plus original personnage, mon ami.

– Ce cirque...?

– Je veux dire par là que si vous n'existiez pas, il faudrait vous inventer. Pour l'instant, veuillez vous trouver un miroir et vous passer un coup de peigne. Et si vous pouviez mettre la main sur une chemise pour remplacer votre gilet de pyjama, ce serait encore mieux!

Le retardataire quitta le local dans un éclat de rire général. Les élèves avaient bien rigolé pendant ces quelques secondes. Tous, sauf un dont les yeux jetaient des éclairs.

Jean-Simon Leroux n'acceptait pas du tout sa suspension de la veille. Lui qui s'était toujours organisé pour ne pas se faire prendre, il avait manqué de prudence cette fois. Il voulait à tout prix se venger. Toutefois, il savait aussi qu'on le surveillerait de près. Il fallait donc attendre que l'occasion idéale se présente.

Entre temps, Patrice avait mis plus de cinq minutes à se débarrasser des deux cornes qui se dressaient sur sa tête. Il était aussi passé par sa case où il gardait toujours des vêtements de rechange, en cas d'accident. C'était là une idée de ses parents, et il se réjouit de les avoir écoutés. Quand il retourna en classe, il comprit au regard de ses camarades qu'on s'était payé sa tête pendant son absence.

Il s'efforça pour le restant de la période d'être attentif, mais ses pensées vagabondaient. Le manque de sommeil se faisait sentir, et il se promit de se discipliner.

Après tout, il disposait de quatre semaines encore pour mener à bien la tâche qu'on lui avait confiée. «Même si le projet est emballant, pensa-t-il, ce n'est pas une raison pour négliger mes études. À ce rythme-là, je ne tiendrai pas jusqu'à la fin du mois et je ne pourrai jamais rattraper le retard dans mes travaux.»

À la fin de la période, il se dépêcha de sortir pour éviter les taquineries. Il ne put cependant échapper à Jean-Simon Leroux qui le saisit par le bras :

— Merci. Merci beaucoup, Bolduc! Grâce à toi, j'ai été suspendu.

— Je n'y suis pour rien.

— Si tu n'étais pas allé me dénoncer à monsieur Bouchard, mon dossier serait encore vierge aujourd'hui.

— Je ne suis pas un mouchard, répliqua Patrice. Monsieur Bouchard t'a vu lui-même. Il était à sa fenêtre. C'est lui qui m'a convoqué à son bureau.

— Et tu lui as tout raconté, ragea Jean-Simon.

— Je n'avais pas le choix. D'ailleurs, je ne vois pas pourquoi tu m'accuses. C'est toi qui as commencé. Moi, je ne t'ai jamais rien fait. Alors, laisse-moi tranquille, s'impatienta Patrice.

— Tu me le paieras. Je ne sais pas comment, mais je te jure que tu me le paieras, grogna Jean-Simon en s'éloignant.

Monsieur Bouchard avait assisté de loin à la scène. Il avait cependant choisi de ne pas intervenir. Il s'approcha quand même et dit :

— Ça va comme tu veux, Patrice?

— Bonjour monsieur Bouchard. Ça va et vous?

— Bien, merci. Ton travail avance comme tu le désires?

— Ah oui! Il avance même très bien.

— J'espère que tu ne négliges pas tes études.

— Ne vous inquiétez pas pour moi, monsieur Bouchard. Je fais attention.

— Alors dans ce cas, je te souhaite une bonne fin de journée, fit l'animateur qui avait accompagné Patrice jusqu'à son local.

Quand Patrice rentra chez lui vers 4 heures, il s'étendit sur son lit et s'endormit jusqu'au souper. Il rêva à son mannequin, à l'effet qu'il produirait sur ceux qui se rendraient à la cabane, aux félicitations qu'il recevrait de tous les animateurs et participants. Surtout, il rêva à la déconfiture de Jean-Simon Leroux, enfermé dans la cabane et frappant sur la porte, désespérant de sortir de ce piège.

Au même moment, le frère de Patrice avait donné un coup de coude sur la porte en passant devant sa chambre.

— Hé! Pat! C'est l'heure de souper.

— Hein? Quoi? sursauta Patrice.

— Tu dormais? fit l'autre en entrant dans la pièce.

— Oui. Je rêvais. C'est pour ça que j'ai sursauté.

— Allez, viens, tu nous raconteras tout ça pendant le repas.

Patrice, qui voulait garder secrets ses projets, prétexta qu'il ne se souvenait plus de son rêve. Il détourna plutôt la conversation vers les études de Benoît, qui ne se fit pas prier pour parler de ses travaux de laboratoire.

Quand le repas prit fin, Patrice regagna sa chambre. Assis à son bureau, il n'arrivait pas à se concentrer sur ses travaux scolaires. Son mannequin le hantait et le rêve qu'il avait fait l'avait empli d'un sentiment de douce vengeance envers Jean-Simon Leroux. Il passa ainsi une partie de la soirée à rédiger une ou deux phrases de sa composition française et à brancher, en pensée, un ou deux fils.

Vers 10 h 30, il termina son travail de français. Il alla souhaiter une bonne nuit à ses parents et attendit que tout le monde s'endorme. Il se faufila alors jusqu'au grenier en prenant la ferme résolution de n'y travailler qu'une heure.

Il vérifia si les lumières des yeux s'allumaient, si le haut-parleur recevait les sons qui viendraient du chalet. Toute l'opération serait contrôlée par lui, à partir d'une chambre dont la fenêtre donnait sur la cabane. Il testa aussi le micro qui servirait à entendre, dans cette chambre, les réactions des participants.

Ce travail lui demanda plus de temps qu'il ne l'avait imaginé. Épuisé par le manque de sommeil, il finit par s'assoupir sur le plancher...

Chapitre 6

Des encouragements
bienvenus

– Patrice est-il réveillé? demanda
madame Bolduc.

– Je suis passé par sa chambre, mais
il n'était pas là, répondit Benoît.

– Il a dû partir plus tôt ce matin,
conclut-elle.

Contrairement à ce que pensait sa
mère, Patrice n'était pas encore levé. Il
était encore au grenier, endormi. Quand
il ouvrit enfin les yeux, il se demanda ce
qu'il faisait là. Rassemblant ses idées, il
réalisa avec stupeur qu'à 10 heures, il

était bel et bien en retard. Il s'en voulait de ne pas avoir respecté sa résolution. Comment pourrait-il se justifier auprès de son animateur de niveau?

Il se rendit à l'école le plus rapidement possible et dut passer par le bureau de monsieur Bouchard pour s'expliquer. Ce dernier ne fut pas très accueillant. Il n'aimait pas que les élèves arrivent en retard à leurs cours. Il fallait que la raison soit très sérieuse ou que les parents aient prévenu les autorités. En apprenant que Patrice était passé tout droit, monsieur Bouchard lui colla une retenue. Sur le billet de retour en classe, il indiqua : «retard non motivé».

À cause de son absence au premier cours, Patrice obtint la note zéro dans le petit contrôle de mathématique. Son professeur d'économie familiale lui refusa l'accès à son local, car elle était occupée à faire une de ses magistrales démonstrations. Patrice patienta donc jusqu'à 11 heures pour suivre son premier cours, celui de français.

En début de période, monsieur Desrochers demanda aux derniers élèves de chaque rangée de ramasser le devoir de rédaction qu'il avait donné la veille. Il vérifia s'il avait en main toutes les feuilles et s'arrêta brusquement sur celle de Patrice :

— Monsieur Bolduc! Vous n'avez pas suivi les consignes que j'avais données!

— C'est que... je n'arrivais pas à trouver mon cahier...

— Taisez-vous! Ce travail est incomplet et très mal rédigé. Quant à la présentation, elle laisse tellement à désirer que je ne me donnerai pas la peine de corriger. Venez reprendre votre feuille.

Patrice baissa la tête, reprit sa feuille et retourna à sa place les yeux pleins d'eau. C'était la deuxième réprimande de la journée. Que ces reproches viennent des deux hommes qu'il appréciait le plus, et de qui il se sentait apprécié, le peinait davantage. Il appréhendait de plus, non seulement son prochain cours de mathématique, mais aussi son retour à la maison où il faudrait bien annoncer ces mauvaises nouvelles.

Bref, cette suite d'incidents le découragea. Il ne parvenait pas à faire preuve de constance. Le projet de l'animation étudiante l'avait énormément motivé en

 57

ce début d'année scolaire. Il s'y était lancé corps et âme, mais il en retirait finalement plus de peine que de joie. Il passait toujours d'un extrême à l'autre, et sa propension naturelle à la distraction ne l'aidait sûrement pas.

Il allait se résigner à son sort lorsqu'il se souvint de ce que lui avait dit son professeur de français : «Sers-toi de la confiance que tu as acquise pour atteindre d'autres objectifs.» Il réalisa alors qu'il avait fait tout le contraire. La réussite du projet de monsieur Landry avait constitué son seul objectif et il avait relégué ses études au second plan.

Cette prise de conscience lui permit de mieux comprendre la portée des paroles de son professeur. Il rumina cette idée jusqu'à la cafétéria. Alors qu'il entamait son dîner, Renée Delage, une camarade de classe avec laquelle il s'entendait bien, s'approcha :

— Aimerais-tu un peu de compagnie? demanda la jeune fille.

— Fais comme chez toi, Renée. Il y a toujours de la place à ma table...

— Patrice, puis-je te parler franchement?

– Oui, mais gentiment je te prie. J'ai reçu ma dose de réprimandes pour aujourd'hui.

– Je voudrais que tu m'expliques pourquoi tu cherches toujours à attirer l'attention.

– Je ne fais pas exprès, répondit l'autre, surpris par cette entrée en matière un peu directe.

– Ce n'est pas l'impression que ça donne, répliqua Renée. Moi je pense que tu éviterais tous ces ennuis en apprenant à mieux t'organiser.

– Il n'y a rien à faire : je suis désorganisé de nature. Je suis lunatique et j'ai tendance à oublier un tas de choses.

– Être lunatique n'est pas un défaut.

– Ce n'est sûrement pas une qualité!

– Tu l'as dit toi-même, Patrice, c'est ta nature. Tu peux essayer de changer, mais ça ne se fera pas du jour au lendemain. Donne-toi plutôt des moyens pour améliorer ta situation, c'est plus facile et surtout moins décourageant.

– Comment?

– Dresse une liste, par ordre de priorité, de ce que tu dois faire chaque jour. Concentre ton énergie sur l'essentiel au lieu de t'éparpiller, et couche-toi un peu plus tôt : tu ne passeras plus tout droit...

– Ce que tu me dis m'encourage beaucoup, Renée. Je te remercie.

– En attendant, fit la jeune fille, parlons d'autre chose si tu veux.

Le dîner se termina sur une note joyeuse. En rentrant chez lui, Patrice raconta ses déboirses à ses parents qui lui imposèrent un couvre-feu. Désormais, il devrait se coucher au plus tard à 21 h 30.

Il résolut dès lors d'appliquer le mieux possible les conseils de Renée. Il prit aussi l'habitude de quitter l'école immédiatement après ses cours au lieu de traînasser. Cette économie de temps lui permettrait de travailler sur son projet en l'absence de ses parents et de son frère.

Ces moments de solitude à la maison se prêtaient bien à son nouvel objectif : fabriquer un cercueil dans lequel il coucherait son mannequin. La feuille à signer serait collée à l'extrémité du cercueil. Au moment voulu, un moteur provoquerait l'ouverture, sous les yeux horrifiés des volontaires. Avec le jeu du micro et des haut-parleurs, l'illusion serait parfaite.

Ce travail fut un véritable jeu d'enfant pour Patrice qui maniait avec dextérité les outils de son père. Il mit peu de temps à construire le cercueil et prit soin de tout assembler avec des vis. De cette façon, il serait démontable, et donc facile à transporter.

Deux jours avant la fin du mois de septembre, tout était fin prêt. Les dernières semaines s'étaient d'ailleurs écoulées sans incident majeur pour Patrice. Il avait réussi à se faire oublier des enseignants qui ne lui adressèrent aucun reproche pendant toute cette période. On chuchotait même chez les professeurs que «l'élève Bolduc» s'était métamorphosé.

Jean-Simon Leroux avait, lui aussi, retrouvé son enthousiasme. Cependant, chaque fois qu'il était mis en présence de Patrice, son visage se rembrunissait. On le voyait souvent comploter avec ses amis en louchant du côté de son «dénonciateur», comme il l'avait surnommé. Mais depuis sa suspension, il n'avait pas encore assouvi sa vengeance.

En fait, il l'avait reportée lorsqu'il avait pris connaissance de la liste des participants à l'activité dans les Laurentides. Jean-Simon n'avait pas dissimulé sa satisfaction en constatant que Patrice était du nombre. La forêt, le plein air, les montagnes : l'endroit idéal pour tendre un guet-apens. Rien ne pressait. Il pouvait attendre et préparer minutieusement sa revanche. Avec l'aide de ses amis, il mijoterait un coup dont Bolduc se souviendrait pendant longtemps. Jamais une telle occasion ne se représenterait : il fallait en profiter.

Le mois de septembre s'écoula tranquillement. Les élèves de deuxième ne parlaient plus que de la «sortie». Certains regrettaient maintenant de ne pas avoir accepté l'invitation. Ils devraient se présenter quand même aux cours. Ceux des autres classes manifestaient leur envie de voir partir leurs amis, par de si belles journées d'automne. Les participants, quant à eux, trépignaient d'impatience et comptaient les heures avant le départ, prévu pour 15 h 45. Les seize voyageurs avaient reçu la consigne de se rendre à l'entrée immédiatement après le dernier cours. Ils auraient tout juste le temps de ramasser leurs bagages et de se changer. Les autres directives leur seraient communiquées pendant le voyage.

La cloche retentit fidèlement à 15 h 30. Quatorze élèves du groupe qui partait, rentrèrent à la maison, un peu jaloux des «vacances» de leurs camarades. Les seize autres ne traînèrent pas longtemps. À 15 h 45 précises, l'autobus quittait la ville pour Sainte-Agathe.

Monsieur Bouchard profita d'un silence relatif pour adresser la parole aux élèves :

— Chers amis, vous êtes les premiers à bénéficier d'une activité de ce genre dans l'histoire de votre école. Je compte sur votre participation et sur votre bon comportement pour faire de ce séjour un événement inoubliable. Le chalet où nous logerons est très spacieux. Comme elles sont en majorité, les dix jeunes filles coucheront au dortoir. Quant à vous, les garçons, vous aurez chacun votre chambre à l'étage en-dessous.

Monsieur Maurice Landry et un de ses collaborateurs sont partis depuis ce matin et nous attendent pour le souper. D'autres renseignements vous seront transmis au fur et à mesure. À tous et à toutes, bon voyage!

Les élèves réagirent bruyamment à cette dernière phrase. Monsieur Bouchard s'était rassis et avait commencé à discuter avec un petit groupe, dont Patrice Bolduc et Renée Delage faisaient partie. Tout au fond de l'autobus quatre individus inventaient les pires tours en riant à gorge déployée...

Chapitre 7

Des projets de vengeance

«Terminus, tout le monde descend!» cria le chauffeur en immobilisant son véhicule.

Dès qu'il eut posé le pied à l'extérieur, monsieur Bouchard invita les élèves à rentrer leurs effets personnels. Maurice Landry et son adjoint les attendaient à l'entrée de l'immense chalet. À l'aide d'un schéma, ils leur indiquèrent l'endroit où chacun dormirait :

— Leroux, Gagné, Hébert et Thériault, chambre n° 1, au fond, à droite; Piché, chambre n° 2; Bolduc, chambre n° 6 à gauche; les filles, au dortoir par l'escalier au centre du corridor. Prenez le temps de vous installer. Réunion dans la grande salle à 18 h 15.

Pendant que les jeunes s'affairaient à monter leurs bagages, monsieur Bouchard s'approcha et dit à son collègue :

— Maurice, je croyais que chaque garçon disposerait de sa propre chambre. Ne crains-tu pas que Leroux et compagnie s'en donnent à cœur joie? Il fallait les entendre dans l'autobus, mon vieux. Nous devrons les tenir à l'œil.

— Nous avions bêtement oublié de nous compter dans la distribution. J'ai donc réuni nos quatre jolis numéros dans la plus grande pièce pour faciliter leur surveillance. Ils ne pourront circuler sans passer devant nous. Quant à Patrice, il couchera dans un endroit stratégique. Il doit y terminer un petit travail, si tu vois ce que je veux dire...

— Tu as vraiment tout prévu.

— On ne peut rien te cacher, répondit fièrement Maurice.

Monsieur Bouchard élut domicile dans la chambre voisine de celle de

Patrice, question de décourager complètement Jean-Simon et ses amis de tenter quoi que ce soit.

À 18 h 15, tous les élèves étaient assis et attendaient impatiemment que sonne l'heure du repas. Il flottait, dans cette grande pièce adjacente à la cuisine, une odeur si agréable que les estomacs gargouillaient d'aise. Monsieur Bouchard prit alors la parole :

— Vous avez été divisés en équipes de quatre pour préparer la nourriture, mettre la table ou laver la vaisselle à tour de rôle. Exceptionnellement ce soir, monsieur Landry et ses collaborateurs se sont chargés du souper, compte tenu de l'heure tardive à laquelle nous sommes arrivés. Nous les en remercions. L'équipe de Jean-Simon Leroux s'occupera de dresser la table et de servir les repas. Une autre équipe desservira et fera la vaisselle. La soirée sera consacrée à vos devoirs et leçons. Le couvre-feu est fixé à 22 heures. Mais pour l'instant, je vous propose de manger.

Jean-Simon et ses comparses ne se firent pas prier pour exécuter leur tâche. Quelques minutes plus tard, ils commençaient déjà à distribuer les assiettées de spaghetti. Toujours à l'affût d'une chance de se venger, Jean-Simon mit un soin particulier à épicer généreusement la portion de son «copain Bolduc». Lorsqu'il revint à la salle à manger avec son plat et celui de Patrice, monsieur Bouchard, qui se doutait bien de quelque chose, les lui prit en disant :

— Donne, Jean-Simon et apporte-nous donc du parmesan et des piments broyés. J'aime que ma sauce soit très piquante.

Comme Jean-Simon cédait les assiettes à regret, monsieur Bouchard les inversa en lançant un clin d'œil à Maurice Landry. Précaution sans conséquence, pensa-t-il. Au pire, Jean-Simon passerait sa soirée à boire. Au mieux, il se serait inquiété pour rien.

Le repas fut très animé. Sylvain Piché, dans une imitation étonnante, personnifia son professeur d'histoire. Pierre Gagné expliqua que sa capacité d'absorber des aliments était directement proportionnelle à son tour de taille. Isabelle Bonin enchaîna sur la boulimie en relatant un film qu'elle avait vu récemment. Chacun y alla de ses com-

mentaires, ce qui ne découragea nulle-
ment Pierre de se resservir. Il était fier de
son appétit et tenait à sa réputation.

Monsieur Bouchard raconta que
lorsqu'il était jeune, ses amis et lui enga-
geaient des paris pour le moins «épicés».
Celui qui réussissait, sans prendre une
seule gorgée d'eau, à vider une assiette
de spaghetti contenant une cuillère à
soupe comble de piments broyés, s'enri-
chissait rapidement de quelques dollars.
Il n'avait jamais perdu.

Certains parlaient peu et mangeaient
beaucoup; d'autres mangeaient peu et
buvaient beaucoup... Patrice, lui était
absorbé par la besogne qui l'attendait et
répondait vaguement aux questions que
Renée Delage lui posait. Bref, tout le
monde, ou presque, s'amusait ferme.

Deux heures plus tard, la cuisine et la
salle à manger brillaient comme un sou
neuf. Quelques élèves s'isolèrent pour
compléter les devoirs de la semaine.
D'autres profitèrent de l'occasion pour
étudier en groupe. Les partisans de cette
dernière option prétendaient d'ailleurs
que les travaux s'accomplissaient plus
rapidement ainsi. C'était sans compter

les anecdotes qui agrémentaient la séance d'exercices ou de rédaction. D'une histoire à l'autre, on promettait de se taire pendant dix minutes, mais la tentation de parler l'emportait sur la volonté de travailler.

Dans la chambre n° 1, par contre, le choix avait été on ne peut plus clair : pas question d'ouvrir un livre de la soirée. On avait des choses importantes à discuter :

— Passe-moi le pichet d'eau, fit Jean-Simon à Pierre.

— Veux-tu bien me dire ce qui te prend de boire ainsi? Tu en es à ton cinquième verre en vingt minutes.

— J'avais préparé une assiette bien épicée pour Bolduc, mais il a fallu que monsieur Bouchard la mette à ma place.

— Tu aurais pu demander de changer de plat pendant le repas, dit Hébert candidement.

— Et risquer d'attirer l'attention? répliqua Jean-Simon. J'ai même trop bu à mon goût. Si j'avais réagi davantage, monsieur Bouchard aurait tout de suite deviné ce qui se passait. Je veux me venger sans qu'il puisse m'accuser de quoi que ce soit. Il faut donc jouer serré car je n'ai pas du tout envie de me frotter à lui de nouveau.

— Si tu veux avoir mon avis, suggéra Thériault, tu devrais oublier ta rancune. Fiche-lui la paix à Bolduc, il ne t'a rien fait.

— Jamais! s'emporta l'autre. Il doit payer pour les problèmes que ma suspension m'a causés. Je le laisserai tranquille après ma vengeance, pas avant. Mais pour mener à bien mon plan, j'ai besoin de votre aide. Vous marchez ou non?

— Moi, je ne marche pas, répondit Thériault. J'ai perdu assez de temps avec cette histoire. C'était drôle au début, mais plus maintenant. Je n'embarque pas.

— Peureux! Et vous deux, s'impatienta Jean-Simon, m'abandonnez-vous aussi?

— Non. Tu peux compter sur nous.

Ils discutèrent des moyens à prendre pour attirer Patrice à l'écart sans qu'il ne se doute de rien. Ce serait difficile, voire impossible. Il faudrait plutôt profiter d'une période de temps libre. Comme sa nature le poussait davantage à la solitude qu'à une activité de groupe, ils pourraient par exemple le suivre dans la forêt et lui tendre un piège. Cette obligation de compter sur le hasard déplaisait à Jean-Simon, mais aucun autre choix ne s'offrait à lui. Il se coucha en espérant que la chance lui sourie...

À l'autre bout du corridor, les devoirs étaient finis depuis longtemps. Après avoir branché trois fils à la boîte de contrôle, Patrice les glissa doucement par la fenêtre. Le premier permettait de savoir si l'on signait la feuille collée sur un carton, au bout du cercueil. En effet, à la simple pression de la main sur ce carton, un petit interrupteur laissait passer le courant vers une ampoule située à l'extérieur de la cabane. Ce signal avertissait l'opérateur du module d'actionner le bouton relié au deuxième fil. Celui-ci mettait le moteur en marche; la moitié du coffre s'ouvrait et un être étrange se levait tranquillement de sa couche.

Le troisième fil reliait deux haut-parleurs, l'un intégré à la boîte de contrôle, et l'autre camouflé sous le masque du mannequin. Personne ne devinerait comment le tout fonctionnait. Tout à l'heure, avec la permission et l'aide de

Maurice Landry, il irait compléter son installation dans la cabane.

À 22 h 15, on cogna discrètement à la porte. C'était justement monsieur Landry qui venait s'enquérir des progrès du jeune bricoleur :

— Alors, Patrice, comment te débrouilles-tu?

— Il ne reste qu'à monter le cercueil, à y étendre le mannequin et à faire les connexions.

— Allons-y tout de suite pendant qu'il n'est pas trop tard. J'aimerais qu'on puisse tenter quelques expériences dès ce soir.

— J'ai fait un schéma expliquant clairement le fonctionnement de l'appareil. Je crois bien que je n'ai rien oublié.

— Bien. De toute façon, je compte sur ton aide, demain soir, pour le jeu de la peur. Tu passeras le premier et tu viendras me rejoindre dans la chambre, immédiatement après. Viens, le matériel est déjà rendu.

Ils descendirent l'escalier et se dirigèrent vers la cabane dont le dos frôlait la forêt. Ni trop grande, ni trop petite, son emplacement sur le terrain et sa minuscule fenêtre à carreau lui donnait un air lugubre et peu invitant. Les arbres jetaient de l'ombre et masquaient le peu de lumière venue du ciel.

— Brrr, dit Patrice. Il fait noir dans les parages. Vous êtes sûr que ce jeu n'est pas trop dangereux, monsieur Landry?

— Ne t'en fais pas, Patrice. Ce genre d'expérience a été tenté ailleurs avec succès. Tous les animateurs veilleront au grain. Au moindre incident, nous interviendrons.

— En tout cas, je vous avoue que même si je connais les moindres dessous de cette activité, l'idée de sortir demain soir et de me rendre jusqu'ici ne me sourit guère. L'endroit est exigu, sombre et rempli de toiles d'araignées.

— Des détails! Retiens plutôt qu'on apprend à se connaître et à grandir en affrontant ses peurs.

— Vous croyez vraiment qu'on se connaît mieux après avoir vécu une aventure comme celle-là?

— Tu m'en reparleras demain, quand tout le monde sera passé par ici. Je te parie que tu seras surpris.

Ils rebâtirent le cercueil, y installèrent son occupant et branchèrent les fils à leur place respective. Patrice retourna à sa chambre et, au signal de monsieur Landry, entreprit de faire les essais d'usage. Au bout de vingt minutes, ils se rejoignaient, satisfaits des résultats. Les tests étaient plus que concluants : tout marchait comme sur des roulettes...

– Excellent travail, Patrice! Vraiment, je suis impressionné. Comment te sens-tu devant ta création?

– Satisfait et surtout très fier, monsieur Landry. C'est la première fois de ma vie que je collabore à un projet aussi important. Je ne voulais pas vous décevoir.

– Je te félicite et te remercie de ton dévouement. Ton aide nous a été extrêmement précieuse. Maintenant, nous ferions mieux d'aller dormir. Nous avons un horaire chargé demain. Bonne nuit.

– Bonne nuit!

Patrice s'endormit rapidement, le sourire aux lèvres. Pendant que les couleurs s'infiltraient doucement dans son sommeil, quelqu'un, dans une autre chambre, rêvait encore en noir et blanc...

Chapitre 8

Le jeu de la peur

Le soleil brillait depuis un bon moment. En ce matin d'octobre, la nature resplendissait de beauté et l'automne commençait à revêtir ses plus éclatantes couleurs. Décidément, le séjour des jeunes à la campagne s'annonçait extraordinaire : même le beau temps se prêtait de bonne grâce aux désirs des animateurs de faire de ces deux journées, une expérience inoubliable.

Pendant que les élèves se levaient, l'équipe de Renée était plongée dans la préparation du petit déjeuner. Au menu : céréales, œufs, crêpes, bacon et rôties.

Patrice essayait tant bien que mal d'inciter Renée à l'expérimentation. En mélangeant, disait-il, une égale quantité de ketchup, de mayonnaise et de fromage cottage, on obtenait la mixture idéale pour accompagner une omelette. Mais le cuisinier en herbe, loin de convaincre son amie, la renforçait davantage dans ses goûts traditionnels.

Le hasard voulut que, pendant le repas, Patrice prenne place à côté de Jean-Simon Leroux. Ce dernier leva à peine les yeux quand l'autre s'assit. En réalité, il rageait de le voir se soucier si peu de son voisinage. Les temps avaient bien changé. L'an dernier, sa seule présence suffisait à rendre Patrice nerveux. Il le manipulait à sa guise, exerçait sur lui une constante pression, se réjouissait de ses malheurs.

Or, cette attitude lui avait permis de rencontrer un tas de copains. Toujours entouré, et ce, très tôt au début de la première secondaire, il avait acquis, grâce à sa forte personnalité, une popularité presque instantanée. Aujourd'hui, il craignait l'indifférence de son entourage, la perte de ses meilleurs appuis. Déjà

Thériault l'avait laissé tomber. Il voulait éviter de se retrouver seul, mais pas avant d'avoir réglé ses comptes avec Bolduc. Sa tranquillité d'esprit en dépendait.

Après le déjeuner, les élèves établirent eux-mêmes l'horaire de la journée. L'organisation de la soirée relevait des animateurs qui refusèrent, un peu amusés, de répondre aux questions des élèves. Seul le mot «jeu» transpira de l'interrogatoire en règle auquel ils furent soumis.

La matinée fut consacrée à une excursion en forêt. Certains en profitèrent pour ramasser des feuilles, grimper aux arbres ou escalader les falaises. D'autres, comme Patrice et Renée, nourrirent les mésanges, peu farouches et faciles à apprivoiser. Un peu à l'écart, messieurs Landry et Bouchard discutaient et se réjouissaient d'avoir sollicité l'aide de Patrice. Sa collaboration au projet du service de l'animation l'avait littéralement transformé.

— Tu devrais voir l'installation dans la cabane, dit Maurice Landry à son collègue. Un véritable petit bijou!

— Ça ne me surprend pas. Patrice n'a pas ménagé ses efforts.

– Les autres élèves n'en reviendront pas.

– Je ne te le fais pas dire; ils le croient incapable de réussir quoi que ce soit, à part se mettre les pieds dans les plats.

– Ils devront changer d'avis, surtout le jeune Leroux qui, incidemment, est plutôt discret par les temps qui courent.

– Un peu trop à mon goût, s'inquiéta monsieur Bouchard. Il prépare quelque chose, je le sens.

– Tu t'inquiètes pour rien. Sa suspension en début d'année l'a sûrement rassis. Il a compris.

– Tu as sans doute raison, mais on ne se méfie jamais assez. Enfin... Si nous rentrions? L'heure du dîner approche.

– Excellente idée! approuva Maurice Landry.

Les animateurs prirent les devants et servirent en quelque sorte de guides aux jeunes. Jean-Simon et ses copains fermaient la marche, souhaitant ardemment que Patrice s'attarde. Jamais une si belle occasion ne se représenterait. En contournant une mare d'eau boueuse, Jean-Simon s'écria :

– Voilà justement ce qu'il me faut!

Vous deux, occupez-vous de Delage, je veux dire, éloignez-la de Bolduc. Je me charge du reste.

Hébert et Gagné rejoignirent rapidement Renée et Patrice. Ils ramassèrent chacun une bonne poignée de feuilles, s'approchèrent de la jeune fille et les lui jetèrent sur la tête en criant :

– Les filles courent moins vite que les gars!

– C'est ce que nous allons voir! répondit Renée en se lançant à leur poursuite.

Patrice les regarda s'éloigner en souriant. Son amie savait se défendre. Elle les rattraperait sans problème. Mauvais coureur lui-même, il conserva son rythme nonchalant. À ses yeux, rien ne pressait. Et puis l'air était si bon! Il voulait s'en imprégner au maximum. Tout à coup, on cria derrière lui :

– Aidez-moi!

Il reconnut la voix de Jean-Simon. Craignant un piège, il hésita à lui porter secours. Mais le cœur l'emporta rapidement sur la raison et Patrice rebroussa chemin. À une cinquantaine de mètres, il aperçut son camarade de classe, assis et semblant grimacer de douleur.

— Ah Bolduc! Je pensais que personne ne m'entendrait. Je me suis foulé la cheville et je suis incapable de me tenir debout. Je ne pourrai pas me rendre au chalet tout seul.

— Prends cette branche en guise de canne et agrippe-toi solidement à ma main. Attention! «à trois». Tu es prêt? Un, deux, trois!

Patrice tira Jean-Simon qui, au moment où il était presque sur pied, fit mine de perdre l'équilibre. Dans le même élan, il poussa son secouriste qui se retrouva tête première dans la boue.

— Ce que tu peux être crédule, Bolduc! Me voilà enfin vengé! Dieu sait que j'en ai rêvé! Maintenant que nous sommes quittes, j'espère que tu ne t'aviseras pas de tout raconter à ton «protecteur». Je nierai tout. Et comme tu n'as aucun témoin, ce sera ta parole contre la mienne.

— Tu as vraiment l'esprit tordu, se contenta de répliquer Patrice.

— C'est ça! Salut! Et ne nous retarde pas trop pour le dîner. Cette aventure m'a creusé l'appétit.

Patrice rinça ses vêtements dans la partie moins boueuse de la mare et profita du temps chaud pour retirer son chandail. Puis il reprit sa route, contenant mal sa colère. «Tu ne perds rien pour attendre, pensa-t-il. On verra bien ce soir ce que tu as vraiment dans le ventre.»

Cette perspective lui sourit à un point tel, qu'il décida de feindre un accident quand on l'interrogerait sur son état. Les événements joueraient très bientôt en sa faveur. Inutile donc de se fâcher.

Quand il arriva au chalet, il fut aussitôt interpelé par monsieur Bouchard :

— Mais... Qu'est-ce qui t'est arrivé?

— Je suivais le vol d'un oiseau et j'ai oublié de regarder où je posais le pied, répondit Patrice avec assurance.

— Tu ne cesseras jamais de m'étonner, fit l'animateur. Tu n'es pas blessé au moins?

— Non, seulement rafraîchi. Maintenant, si vous permettez, je vais aller retirer mes vêtements. Je commence à frissonner.

— Tu les suspendras au soleil. Ils sécheront plus vite.

Patrice monta se changer. Dans la

chambre n° 1, les rires fusaient de toutes parts. Il haussa les épaules. «Rira bien qui rira le dernier», se dit-il. Quand il redescendit, la table était mise et le repas servi. Il s'assit à côté de Renée Delage. La jeune fille lui apprit qu'elle avait non seulement rattrapé ses deux adversaires, mais qu'elle leur avait aussi fait manger des feuilles. Elle précisa, à ce sujet, qu'elle avait bénéficié de l'appui des autres filles. Sans l'intervention des animateurs, ils en auraient sûrement fait une indigestion.

Patrice confia discrètement à son amie que sa chute n'avait pas été accidentelle.

— Tu veux dire que c'est Leroux qui t'a poussé dans la mare? Il faut prévenir monsieur Bouchard, chuchota-t-elle.

— Surtout pas, Renée. Je te conjure de n'en souffler mot à personne. Leroux paiera. Je te le promets.

— Et comment comptes-tu lui rendre la monnaie de sa pièce?

— Ça, c'est mon secret, fit Patrice. Tout ce que je peux te dire c'est que je lui réserve une petite surprise dont il se souviendra très longtemps.

— Et s'il cherche à se venger à nouveau?

– Je peux te garantir qu'il n'osera pas. Jean-Simon Leroux va recevoir la leçon de sa vie. Et dorénavant, je regarderai où je mets les pieds.

Patrice avait brusquement changé de sujet et levé le ton pour ne pas attirer l'attention de monsieur Bouchard, soudainement intrigué par leurs chuchotements.

Le repas se poursuivit dans la gaieté, et les anecdotes culinaires prirent rapidement la vedette, chacun y allant de son propre record. Monsieur Bouchard rappela aux élèves que, selon l'horaire qu'ils avaient eux-mêmes établi, une période d'étude était prévue à 16 h 30. Dans l'intervalle, il les invitait à profiter pleinement des activités de plein air. Et, comme pour les intriguer davantage, il ajouta :

– N'oubliez pas non plus que nous vous avons préparé une soirée très spéciale...

La vaisselle fut lavée en un temps record et le chalet se vida tout aussi rapidement. Jean-Simon et ses amis invitèrent les filles à jouer au football. Cinq d'entre elles, Renée Delage en tête, relevèrent le défi. Patrice resta à l'écart, préférant le rôle de spectateur. Les gars, trop confiants, s'aperçurent rapidement que les filles refusaient de s'en laisser imposer. Le match fut très serré, et ne fit pas de véritables vainqueurs puisqu'on sonna avant la fin l'heure de rentrer.

Les jeunes retournèrent au chalet en se promettant mutuellement un match revanche. À 16 h 30 précises, le silence le plus total régnait dans les chambres et au dortoir. Patrice, débarrassé de ses travaux scolaires, s'employa à vérifier minutieusement chacune des connexions de la boîte de contrôle. Une heure trente plus tard, tous les jeunes étaient attablés.

Quelqu'un se risqua bien à interroger les animateurs sur ce qui les attendait après le souper. Maurice Landry se contenta de dire que le mystère serait éclairci en milieu de veillée. La curiosité l'emportant sur la patience, certains élèves tentèrent, en vain, d'en savoir davantage.

Lorsque toute trace de repas fut effacée, les animateurs convoquèrent une réunion dans la grande salle. Toutes les lumières furent éteintes. Seule une lampe éclairait la pièce dans laquelle se rassemblèrent les jeunes. Sur la table du centre brûlait une chandelle. Maurice Landry prit place et invita le groupe à s'asseoir tout autour de la flamme.

— Vous allez vivre ce soir une expérience assez... particulière. En y prenant part, vous apprendrez, entre autres, à mieux vous connaître. Il s'agira, après l'audition d'une courte histoire, de sortir du chalet et d'aller signer votre nom dans la cabane située aux abords de la forêt. Votre participation se fait bien entendu sur une base volontaire. Quelqu'un préfère-t-il se retirer de la pièce?

Personne ne broncha. Monsieur Landry continua :

— Avant de commencer, je dois m'assurer que personne ici ne souffre d'une maladie respiratoire ou n'est sensible aux émotions fortes. Bon. Des questions?

Comme personne n'osait remuer les lèvres, monsieur Landry fit signe à un de ses collaborateurs d'éteindre la lampe et d'actionner le magnétophone. Une musique de circonstance enveloppa la pièce et la flamme se mit à danser fébrilement. Les jeunes semblaient hypnotisés. Une voix aussi grave que caverneuse sortit de la bouche de l'animateur :

– Dans une maison retirée de Mont-Laurier, six hommes se réunissaient chaque année, à la même date, pour commémorer la mort d'un ami commun. Celui-ci était décédé accidentellement, dix ans auparavant, d'un coup de fusil de chasse. La tragédie s'était produite dans une chambre située à l'étage. Depuis, personne n'y était entré. Or, pendant le repas du soir, les hommes entendirent soudain un BOUM ÉNORME!!! provenant de la pièce condamnée...

Monsieur Landry avait élevé la voix pour créer un effet. Les cœurs battaient maintenant plus rapidement. La musique, qui accompagnait magistralement la voix de l'animateur, suivait même ses inflexions. Il poursuivit :

– Étonnés, ils se regardèrent en silence puis conclurent qu'il devait s'agir d'un bruit extérieur. Ils avaient à peine repris leur discussion, qu'un autre boum, PLUS FORT CETTE FOIS!!! retentit dans la maison. Le propriétaire se leva et se dirigea vers l'escalier. Les marches craquaient sous son poids. Il monta lentement et atteignit finalement le seuil de la porte maudite. Il tourna lentement la poignée... Un grincement fit hésiter l'homme un instant... Puis, se raisonnant, il poussa la porte et la referma derrière lui...

Quelqu'un dans la grande salle poussa un cri d'effroi. Tous les autres sursautèrent. La flamme vacilla. Monsieur Landry enchaîna :

— Les hommes restés dans la salle à manger commencèrent à s'inquiéter. Leur ami était monté depuis dix minutes et n'avait pas donné signe de vie. Le plus costaud des cinq se leva à son tour et monta les marches trois par trois. Mais une fois arrivé devant la porte, il hésita. Et s'il se cachait un étranger dans cette pièce? Comment expliquer autrement la disparition de l'autre? Il se ressaisit, faisant confiance à son imposante stature. Si quelqu'un l'attendait là, il saurait bien se défendre et en venir à bout. Il ouvrit la porte, passa d'abord sa tête... La pièce était VIDE!!!

Nouveau sursaut des élèves. Nouveau crescendo de la musique. L'atmosphère était extrêmement tendue. Les élèves ne tenaient plus en place. Comme par instinct, ils s'étaient rapprochés les uns des autres et appréhendaient malgré eux le pire.

– L'homme constata que, selon ses propres souvenirs, rien n'avait bougé depuis dix ans. Seule la poussière s'était déposée sur le plancher. Tout à coup, il remarqua un fait étrange. DES TRACES DE PAS MENAIENT AU PLACARD!!! Il s'approcha lentement, le cœur lui défonçant presque la poitrine... Il saisit fermement la poignée. Les gonds résistaient, la porte était coincée. Il mit un peu plus de force... Un bruit lui indiqua qu'il n'avait plus qu'à tirer. Il ouvrit... AHHHHHHHHHHHHHHH!!!

L'animateur, en frappant sur la table, avait poussé un cri énorme. La chandelle s'était éteinte et une espèce de flash vert avait aveuglé les auditeurs. Leur réaction fut spontanée. Certains avaient crié et criaient encore, d'autres s'étaient sauté dans les bras. Quelques-uns étaient tout simplement restés figés.

La commotion générale s'étant apaisée, monsieur Landry, qui avait rallumé momentanément la bougie, reprit la parole :

— Nous allons maintenant passer à la deuxième étape de ce jeu. Pendant qu'une personne se rendra à la cabane, vous demeurerez ici, dans l'obscurité, en compagnie de monsieur Bouchard. Cette lampe de poche vous permettra de mieux voir votre chemin, mais je vous suggère cependant d'en économiser les piles. Elles sont un peu faibles, je crois. Une fois dans la cabane, vous devez obligatoirement signer votre nom sur une feuille collée au bout d'un long coffre. Celui-ci est déposé sur une table, au milieu de la pièce. Ensuite, vous revenez tout simplement au chalet. Alors, qui sera le premier ou la première volontaire? «Moi.»

Les élèves se regardèrent médusés. Contre toute attente, Patrice Bolduc s'était levé et avait saisi la lampe de poche. Maurice Landry souffla la chandelle et sortit de la salle avec lui...

Chapitre 9

Sortez-moi d'ici

– Ouf! dit Patrice en arrivant devant la porte arrière. J'avoue que vous m'avez fait drôlement peur! Quelle histoire! Car c'est une histoire, je suppose?

– Ça mon cher garçon, le bon Dieu le sait et le Diable s'en doute, répondit monsieur Landry.

– Comment?

– Façon de parler. Bon! Dépêche-toi et viens aussitôt me rejoindre dans la chambre.

– Suis-je vraiment obligé de vivre cette expérience jusqu'au bout? Ne peut-on pas faire... semblant?

— Trop facile! Il faut que tu signes la feuille sinon on devinera tout de suite que tu n'y es pas allé. D'ailleurs, nous devons en profiter pour soumettre ton installation à un dernier test, avant le passage des autres. Un peu de courage!

— Alors, à tout à l'heure!

— J'oubliais! termina monsieur Landry. Quand tu reviendras, essaie d'avoir l'air essoufflé et chaviré... Ça effraiera tes camarades...

Dans le salon, les commentaires se bousculaient. Tous s'étonnaient de la hardiesse de Patrice. Tous, sauf Jean-Simon Leroux qui crânait et prétendait que si l'autre n'avait pas réagi si vite, il se serait lui-même porté volontaire. Quand un élève suggéra, à l'approbation générale, qu'il soit le suivant, il avala péniblement sa salive...

Le «brave» sortit du chalet et attendit que ses yeux s'habituent à l'obscurité. Le cœur serré, il se dirigea lentement vers la cabane. Il ne remarqua pas, dissimulé dans les buissons, l'adjoint de monsieur Landry. Son rôle : intervenir rapidement en cas d'urgence. Patrice s'arrêta à deux reprises, l'oreille sensible au moindre

94

bruit. Soudain, il crut apercevoir, à environ dix mètres devant lui, une forme en mouvement. Il alluma la lampe de poche :

– Créfi de créfi! s'exclama le jeune homme. Mes yeux me jouent des tours!

Puis, pour retrouver son calme, il continua à s'exprimer tout haut :

– Courage, Patrice! Tu sais ce qui t'attend, donc tu t'énerves pour rien. Personne ne te veut de mal, ici. Tu laisses encore ton imagination déborder... Bon. Te voici devant la porte. Prends deux bonnes inspirations, appuie sur la clenche et entre en faisant comme chez toi.

La porte gémit dès qu'il la poussa. Les toiles d'araignées de la veille s'étaient déjà reformées. Patrice les évita (il détestait les araignées) et se dirigea vers le cercueil. Sa lanterne commençant à faiblir, il l'éteignit, non sans avoir aperçu la feuille sur laquelle il apposerait bientôt sa griffe. Il sentit un léger déclic quand il appuya sa main au bout du coffre. Tel que prévu, une petite lumière s'alluma à l'extérieur, signe qu'attendait monsieur Landry pour continuer les opérations.

La mise en branle du moteur le fit sursauter. Le mannequin apparut au bout de quelques secondes. Presque aussitôt, une voix rauque émit des sons incompréhensibles :

– Ahhhh... Brrr... Hummm...

– Décidément, dit Patrice en éclairant son interlocuteur, on n'a pas une seconde de répit.

– Qui est là? demanda la voix.

– Voyons monsieur Landry, c'est moi, Patrice Bolduc. Cessez de plaisanter. Je commence à frissonner de peur.

– TU M'AS DÉRANGÉ DANS MON SOMMEIL!!!

– Je... je suis désolé... Excusez-moi... Je...

– Sors d'ici avant que je me fâche, interrompit la voix.

– Très bien. Je m'en vais.

– PLUS VITE!!!

Patrice se précipita à l'extérieur et courut à toutes jambes jusqu'au chalet. Quelle mouche avait piqué monsieur Landry? D'abord, était-ce bien lui? Un démon possédait-il le mannequin? Les idées les plus farfelues déferlaient dans sa tête. Au moment où il se préparait à entrer dans la maison, une main se posa doucement sur son épaule.

— Au secours!

— Ne t'énerve pas Patrice, c'est moi.

— Monsieur Landry! Qu'est-ce qui s'est passé?

— Rien du tout. J'ai suivi ton schéma à la lettre.

— Alors qu'est-ce qui vous a pris? Je pensais que ma présence dans la cabane servirait uniquement d'ultime test. Vous m'avez foutu la trouille!

— Excellent! Donc, mon petit numéro est à point. Tu comprends, il fallait aussi que je m'exerce...

— Vous auriez dû m'en parler, dit Patrice qui se remettait à peine de ses émotions.

— Écoute, tu connaissais déjà tous les trucs... Les autres ne bénéficieront pas de cet avantage. Allez, avant que tu ne reprennes ton souffle, rentrons bruyamment pour créer un effet sur les autres.

Ils franchirent le seuil. Patrice, sur les conseils de monsieur Landry, se dirigea vers l'escalier et passa devant la grande salle en s'exclamant :

— Créfi de créfi! Ah!... Je manque

d'air!

L'animateur, qui jouait le jeu, l'encourageait à monter les marches et à aller se reposer :

– Allons, doucement Patrice, doucement. Va t'étendre un peu dans ta chambre. Tu te sentiras beaucoup mieux.

Puis, se retournant vers les élèves, il demanda :

– Qui est le suivant?

Dans la grande salle, on ne se contenait plus. Certains protestaient avec véhémence, déclarant que ce genre de jeu ne convenait pas aux jeunes de leur âge. D'autres paniquaient littéralement. Les regards se tournèrent instinctivement vers Jean-Simon, qui s'était trop avancé quelques minutes auparavant. Le pauvre garçon cherchait désespérément à se défiler et regrettait d'avoir trop parlé. Soudain, coup de théâtre! Renée Delage se leva et déclara posément : «J'y vais.»

Monsieur Landry lui remit la lampe de poche, l'accompagna jusqu'à la porte et la regarda s'éloigner. Dans le salon, Thériault n'avait pas pu retenir une pointe destinée à Jean-Simon :

– Je parie que si elle n'avait pas réagi

aussi promptement, tu te serais levé comme un seul homme...

— Très drôle! À ce que je sache, tu ne t'es pas proposé non plus, répliqua Jean-Simon, dont le visage cramoisi était heureusement camouflé par l'obscurité.

— Je n'ai jamais prétendu que je le ferais. Tu es peut-être brave de loin, mais tu es loin d'être brave, Leroux.

— Bon, ça suffit, vous deux! intervint monsieur Bouchard. Nous n'avons pas, à ma connaissance, organisé un concours de bravoure. Vous avez le choix de participer ou non à cette activité. J'insiste cependant sur un point : laissez tranquilles ceux qui choisiront de rester ici. Est-ce clair?

Monsieur Bouchard obtint en guise de réponse un silence éloquent. D'ailleurs, l'énervement avait gagné le cœur de tous les élèves. On attendait impatiemment Renée qui mettait plus de temps que Patrice à revenir. Soudain la porte claqua. La jeune fille rentrait et semblait pressée de retrouver la sécurité domestique. Elle buta contre une table, fit tomber une chaise et s'exclama subitement :

– Quelqu'un, venez m'aider!

Déjà, monsieur Landry, descendu de la chambre, intervenait.

– Ça va, Renée? lui dit tout bas l'animateur.

– Ça pourrait aller mieux. Je me suis cogné le genou en voulant sortir trop vite et j'ai dû sautiller sur un pied pour revenir.

– Nous allons examiner ça de plus près. En attendant, je vais te porter jusqu'en haut. Tu n'as pas trop eu peur?

– Pas mal, mais je ne regrette pas d'y être allée.

– Bien! En passant devant la grande salle, ne dis rien, même si l'on te parle. As-tu la lampe de poche?

– Je l'ai malheureusement laissé tomber en me cognant et n'ai pu la retrouver.

– Ce n'est pas grave.

Quand ils passèrent devant la pièce où s'agitaient les autres, on l'interpella, on la questionna en vain. Certains pensaient qu'elle était évanouie et les rumeurs allaient bon train. Monsieur Landry revint dans la salle quelques instants plus tard et déclara très calmement :

– Le prochain devra se passer de lumière. Renée a laissé tomber accidentellement la lampe de poche près de la porte. Elle devrait être facile à repérer. Qui est notre prochain aventurier?

Personne n'osait bouger. Quelqu'un proposa de tirer au sort. Cette proposition fut accueillie avec réserve mais reçut malgré tout l'assentiment général. Monsieur Bouchard prit alors un paquet de cartes et dit :

— La carte la plus près de l'as déterminera celui ou celle qui sortira.

Chacun tira nerveusement une carte dans l'éventail formé par l'animateur. On ralluma brièvement la bougie pour découvrir que le hasard ne manque pas d'ironie : Jean-Simon Leroux tenait dans sa main l'as de pique!... Il ne pouvait pas reculer. Déjà, il s'était couvert de ridicule en prétendant ne pas avoir peur.

Pour la première fois de sa vie, Jean-Simon était le point de mire d'une situation compromettante. Lui qui avait très souvent profité de la faiblesse d'autrui pour s'affirmer, se retrouvait aujourd'hui dans l'embarras. Les rôles étaient inversés. S'il refusait de participer, il était cuit!

Ne laissant rien paraître du trouble

qui l'animait, Jean-Simon se dirigea vers la sortie. Un frisson lui parcourut le corps dès qu'il mit le nez à l'extérieur : la nuit était si noire et la cabane si loin... Il chercha désespérément la lampe de poche. Monsieur Landry avait pourtant affirmé qu'elle était tombée près de la porte...

Abandonnant à contrecœur sa quête de lumière, il marcha vers la cabane. Son rythme cardiaque augmentait à mesure qu'il s'en approchait. À deux pas du but, son pied frôla un objet qu'il aurait aimé tenir à la main... Il s'immobilisa devant ce lieu sinistre. Un chien hurla au loin. Les feuilles remuèrent derrière lui. Une chauve-souris claqua des ailes au-dessus de sa tête. Effrayé, il se précipita à l'intérieur de l'abri.

L'obscurité totale de la petite pièce obligea Jean-Simon à avancer à tâtons pour trouver le coffre. Quand il l'eut repéré, il s'employa à exécuter sa tâche le plus rapidement possible. Mais en saisissant trop brusquement le crayon qui pendait au bout d'une corde, il l'arracha et le laissa échapper par inadvertance. Il dut s'accroupir et le chercher à tâtons sur le plancher couvert de poussière et de mousse.

Le temps lui paraissait infini. Il désespérait de sortir de ce lieu maudit. Il se releva au bout d'un moment avec le crayon, et commença à signer son nom. Il n'avait pas formé son deuxième prénom que déjà un bruit inquiétant envahissait la pièce. Le coffre remuait sous sa main et s'ouvrait par le milieu... Jean-Simon recula d'un pas et cria :

– Qu'est-ce qui se passe ici?

Le bruit s'arrêta presque aussitôt. Soudain, deux petits feux rouges s'allumèrent par intervalles et Jean-Simon, les jambes coupées, entendit :

– Qui es-tu? Que viens-tu faire ici?

– ...

– RÉPONDS QUAND JE TE PARLE!!!

– Je... m'appelle... Jean...

– TU AS TROUBLÉ MON SOMMEIL!

– Je m'excuse... je ne savais pas...

– JE N'AIME PAS QU'ON ME DÉRANGE QUAND JE DORS!!!

– Je suis...

Le jeune garçon n'en pouvait plus. Sa

nervosité et sa crainte l'empêchaient de raisonner. La panique s'emparait de lui. Il recula, trébucha et heurta la porte. Incapable de l'ouvrir, il se mit à la frapper en criant :

– Aidez-moi! Sortez-moi d'ici! Quelqu'un, vite!

Chapitre 10

Patrice règle
ses comptes

Dans la chambre de Patrice, on s'inquiéta. La réaction de Jean-Simon dépas-
sait les prévisions. Monsieur Landry se
préparait à intervenir quand son jeune
assistant dit :

– Laissez, j'y vais.

– Je t'accompagne, dit Renée.

– Je préfère y aller seul, rétorqua
Patrice. J'ai des comptes à régler avec
Leroux.

– Ça ne sert à rien de se venger
Patrice, objecta monsieur Landry. Essaie

plutôt de profiter de l'occasion pour établir de meilleurs rapports avec lui. Ça m'étonnerait qu'il refuse. Tu bénéficies de «l'avantage du terrain».

— Je sais, mais j'attends ce moment depuis trop longtemps. Ne vous inquiétez pas, je reviens tout de suite.

Il prit dans son sac une boîte d'allumettes, descendit précipitamment les marches de l'escalier et sortit du chalet sans se donner la peine de refermer la porte. Il croisa sur son chemin l'adjoint de monsieur Landry :

— Qu'est-ce qui se passe Patrice?

— Des petits problèmes, rien de sérieux. Je m'en occupe.

— Si tu as besoin d'aide, ne te gêne pas.

— Merci. Ça devrait aller, fit Patrice qui avait à peine ralenti sa course.

À son arrivée, Jean-Simon frappait toujours sur la porte, mais cette fois en pleurnichant. Il était au bout de son rouleau et se voyait déjà abandonné. Patrice s'arrêta devant la cabane et se remémora tous les coups que Jean-Simon Leroux lui avait fait subir. La vengeance est un plat qui se mange froid, pensa-t-il. Il pouvait, s'il le voulait, l'écraser et l'humilier. Pour une fois, Jean-Simon était à sa merci. Pour une fois, le hasard se rangeait de son côté.

Il frappa à la porte :

– Leroux! Qu'est-ce qui t'arrive?

– Qui...? Qui est là? questionna l'autre en s'essuyant les yeux.

– Veux-tu vraiment le savoir?

Cette question décontenança Jean-Simon. Il reconnut, par son intonation, la voix de Patrice. Dans la cabane, les petites lumières rouges continuaient de s'allumer par intermittence. La voix s'était cependant éteinte. En réalité, monsieur Landry avait décidé de laisser le coffre ouvert pour entendre la conversation des deux adversaires. Patrice allait-il assouvir son désir de vengeance? Sa nature douce et généreuse prendrait-elle le dessus? Nul n'aurait su le dire. De la chambre, seule la voix de Jean-Simon était audible.

– Bol... Bolduc?

– Je me demandais si tu allais me reconnaître. On dirait que tu as un problème, Leroux. As-tu oublié de signer la feuille? ironisa Patrice qui se déplaisait de plus en plus dans son nouveau rôle.

– Écoute. Tu as toutes les raisons de m'en vouloir. Tu as gagné. Je... suppose que c'est inutile de t'offrir mes excuses?

Patrice ne répondit pas. Il possédait tous les atouts pour anéantir son pire ennemi. Tout à l'heure, en rentrant, il n'aurait qu'à raconter ses sanglots, sa panique. Rapidement, le bruit courrait à l'école que Leroux s'était dégonflé, que Leroux était un imposteur et qu'il avait été démasqué par nul autre que Patrice Bolduc, sa victime préférée... Quelle déconfiture...

– Bolduc? Es-tu encore là?

– Écarte-toi, je vais essayer d'ouvrir.

Patrice poussa la porte avec son épaule et réussit à la dégager sans difficulté. Elle s'était juste un peu coincée quand Jean-Simon l'avait heurtée. Dès qu'il fut rentré, il la referma derrière lui.

– Mais qu'est-ce que tu fais? demanda l'autre.

– Je referme la porte, répondit calmement Patrice en s'assoyant par terre.

– Mais je veux sortir d'ici, moi!

– Pas avant d'avoir réglé nos comptes. Depuis qu'on se connaît, tu n'as pas cessé de m'embêter, de me ridiculiser devant tout le monde. J'aimerais que tu me dises pourquoi.

— Je ne le sais pas, avoua Jean-Simon. Au début, je voulais seulement m'amuser un peu. Puis, peu à peu, je me suis servi de toi pour afficher ma supériorité sur les autres. Tu ne me croiras sûrement pas, mais les dernières minutes que j'ai vécues m'ont fait réaliser un tas de choses sur moi.

— Comme quoi, par exemple?

— Que... je ne suis pas aussi extraordinaire que je le prétends. Et que je suis... peureux...

— On apprend à se connaître en affrontant...

— Bolduc... interrompit Jean-Simon.

— Cesse de m'appeler Bolduc. Ça m'énerve!

— Patrice, je voudrais m'excuser sincèrement pour tout ce que je t'ai fait endurer. Tu peux encore te venger de moi en racontant ce qui m'est arrivé. Quoi que tu fasses, je promets de ne plus jamais t'embêter.

— La dernière fois que tu t'es excusé, je me suis retrouvé dans un étang...

– Ouais... je sais...

Jean-Simon ne termina pas sa phrase. Sa situation ne lui permettait pas d'ajouter une parole de plus. Patrice brisa le silence et se releva en disant :

– Vous pouvez fermer le coffre, monsieur Landry.

– Monsieur Landry est dans le coffre? s'étonna Jean-Simon.

– Tu comprendras tantôt. Sortons d'ici.

Au moment où ils s'apprêtaient à partir, Patrice retint l'autre :

– Attends. As-tu eu le temps de signer ton nom?

– Pas au complet, je crois.

– Fais-le.

– On ne voit pas très clair, dit Jean-Simon.

– J'ai ce qu'il faut.

Patrice fit craquer une allumette. La pièce s'éclaira suffisamment pour que Jean-Simon puisse apposer sa signature sur la feuille. Ils quittèrent la cabane et retrouvèrent en chemin la lampe de poche.

– Entre avant moi et monte jusqu'à ma chambre, suggéra Patrice en arrivant devant la porte. Tu diras à monsieur Landry que je vais rester dans les parages pour éviter d'autres incidents.

– Merci, Bol... Patrice.

– De rien.

La soirée se termina d'une étrange façon. Devant les difficultés qu'avaient éprouvées Renée et Jean-Simon, personne ne voulait participer à cette expérience seul. On divisa donc le groupe en cinq équipes de deux et une équipe de trois. Les cris et les sursauts n'en furent pas moins nombreux. Chaque fois qu'une nouvelle équipe se rendait à la cabane, les hésitations et les craintes se manifestaient.

Au bout d'une heure, tous avaient fait connaissance avec «l'être aux yeux rouges et à la voix rauque». La dernière équipe s'était chargée de rapporter la feuille remplie de signatures. La bonne humeur était revenue. Certains élèves prétendaient maintenant ne pas avoir eu peur; d'autres se rappelaient le visage effaré de leur compagnon d'expédition. Sylvain Piché se lança même dans une imitation assez convaincante de la voix du mannequin. Bref, chacun se risqua à expliquer le mystère de la cabane.

Quand les élèves furent à nouveau réunis dans la grande salle, monsieur Landry prit la parole :

– À ce que je vois, vous semblez remis de vos émotions. Cette soirée restera sans doute gravée longtemps dans vos mémoires. Mais elle n'aurait pu être aussi réussie sans le concours de l'un de vos camarades. J'aimerais vous présenter le concepteur, le créateur, et celui à qui nous devons le succès de cette soirée : Patrice Bolduc!

Le silence créé par cette révélation inattendue fut rompu par un tonnerre d'applaudissements. Patrice Bolduc? Le champion lunatique toutes catégories, créateur de cette «chose»? On le pressa de questions, on voulait tout savoir dans le moindre détail. Patrice vivait sur un nuage. Jamais on ne s'était tant intéressé à lui. Combien de temps avait-il mis pour construire le mannequin? Quand avait-il appris à bricoler ainsi? Pourquoi n'en avait-il jamais parlé avant?

– Vous ne m'auriez pas cru si j'étais arrivé à l'école un bon matin en vous parlant de ce projet.

— Qu'est-il arrivé à Renée tout à l'heure? demanda quelqu'un.

— Elle s'est cogné le genou en voulant sortir rapidement de la cabane.

— Et Leroux? interrogea quelqu'un d'autre.

Jean-Simon avait cessé de respirer. Qu'allait répondre Patrice? Celui-ci regarda son compagnon droit dans les yeux et répondit :

— La porte s'est curieusement coincée et ne s'ouvrait plus de l'intérieur. Il a fallu que j'aille lui donner un coup de main.

La guerre était désormais terminée entre les deux adolescents. Patrice avait décidé de taire les mésaventures de Jean-Simon. Sans devenir les meilleurs amis du monde, ils partageraient désormais un secret qui les unirait et qui ne serait jamais trahi.

Monsieur Landry, souriant et satisfait de la tournure des événements, interrompit la période de questions et invita les élèves à un petit goûter bien mérité. Il leur fit promettre de ne rien révéler du mystère de la cabane. Quarante-cinq minutes plus tard, le sommeil terrassait tous ces jeunes esprits encore agités.

La deuxième et dernière journée à la campagne fila à la vitesse de l'éclair. Les jeunes purent, entre autres, aller voir de plus près l'installation de Patrice, dont on vantait encore le talent.

L'heure du départ sonna trop rapidement et, à 17 h 30, à la déception générale, les portes de l'autobus s'ouvraient sur le stationnement de l'école. Plusieurs parents y attendaient déjà leur enfant. Les animateurs réunirent une dernière fois le groupe dans la salle de récréation, et insistèrent à nouveau sur l'importance de garder secret l'épisode du jeu de la peur.

On se sépara à regret; on échangea même des numéros de téléphone. Quelques élèves, dont Patrice et Jean-Simon, déposèrent des objets dans leur case. Patrice rangea quelques livres, salua Jean-Simon et se dirigea lentement vers la sortie. Ce dernier, la tête encore penchée sur son sac, lui souhaita une bonne fin de semaine.

Alors qu'il jetait un coup d'œil à l'extérieur, Patrice vit une voiture s'approcher de lui. Il y monta.

— Heureux de ton séjour dans les Laurentides, Patrice?

— Très heureux, maman.

— Tu n'as pas eu d'ennuis avec le jeune Leroux?

— Pas du tout. Il m'a enfin fiché la paix...

— Tu n'as rien oublié à l'école?

— Ne t'inquiète pas pour moi. Tout est sous contrôle.

Dans la salle, Jean-Simon avait levé la tête. Il avait essayé de rappeler Patrice, mais en vain. Il ramassa ses bagages et gagna à son tour le stationnement. En passant devant la case de son copain Bolduc, il sourit en refermant la porte qu'il avait laissée ouverte, sans doute par distraction...

Fin